Raconte-moi...

Les plus beaux contes

Par

H.C. ANDERSEN
G.B. BASILE
J. et W. GRIMM
C. PERRAULT
S. PROKOFIEV

à mon petit SCOTT

Noël 98 - Danièle

OPEASI
CH - LUCERNE

BLANCHE NEIGE
ET LES SEPT NAINS

Blanche-Neige était une jolie princesse à la peau blanche comme la neige, aux lèvres rouges comme le sang et aux cheveux noirs comme l'ébène. Mais quand Blanche-Neige est née, sa mère, la bonne reine mourut. Un an plus tard, le roi se remaria. La nouvelle reine, orgueilleuse et vaniteuse ne supportait pas l'idée qu'il puisse exister une femme plus belle qu'elle.

Elle possédait un miroir magique, auquel, chaque matin, elle demandait :

"Miroir de mes désirs, qui est la plus belle du royaume ?"

Le miroir répondait :

"Ma reine, dans tout le royaume, il n'y a aucune femme plus belle que toi !"

Cependant, Blanche-Neige grandissait, devenant plus belle. Et un matin, le miroir déclara :

"Maintenant, dans le royaume, il y a une jeune fille encore plus belle que toi : c'est Blanche-Neige, la fille du roi !"

A cette réponse, la reine fut bouleversée et devint livide de colère. Sa haine pour Blanche-Neige fut si grande qu'elle ne trouva plus le repos.
Elle fit venir un chasseur et lui ordonna : "Conduis Blanche-Neige loin du château et tue-la !"
Le pauvre homme conduisit Blanche-Neige dans les bois. Mais quand il prit son couteau pour la frapper, il manqua de courage et s'attendrit.

Très ému, il lui dit : "Cours, fuis, pauvre petite !"
Le fait de l'avoir épargné lui enlevait un grand poids sur le cœur. Pour prouver la mort de Blanche-Neige, le chasseur tua un putois dont il rapporta au château le foie et les poumons.
Blanche-Neige désespérée, marchait à travers les ronces et les épines lorsqu'elle aperçut enfin une toute petite maison.

Elle entra ; la table était petite, ainsi que les sept
sièges, les sept assiettes, les sept verres et les sept
couverts. Contre un mur étaient alignés sept lits.
Blanche-Neige, qui avait très faim, prit dans chaque
assiette un peu de nourriture et but une gorgée de
vin des sept verres... Puis comme elle était très
fatiguée, elle s'allongea en travers des sept lits et
s'endormit !
Quand la nuit tomba, les maîtres de la maison
arrivèrent : les sept nains qui travaillaient dans les
mines d'or et de diamants. Quand ils virent la jeune
fille, ils s'exclamèrent en chœur :
"Comme elle est jolie !"

Le lendemain matin, à son réveil, Blanche-Neige vit les sept nains et fut effrayée. Eux, par contre, lui sourirent et lui demandèrent : "Comment t'appelles-tu ?"

"Je m'appelle Blanche-Neige", répondit-elle.

"Comment es-tu arrivée dans notre maison ?", demandèrent-ils curieux.

Blanche-Neige raconta que la reine, sa marâtre, avait ordonné à un chasseur de la tuer, que celui-ci lui avait laissé la vie sauve, et que, par hasard, vers le soir, elle était arrivée à leur demeure.

Alors les sept nains lui dirent : "Pourquoi ne resterais-tu pas avec nous ? Tu pourrais t'occuper de notre maison, préparer les repas, faire les lits, laver, coudre et tenir la maison propre et bien rangée. Tu ne manqueras de rien et tu seras en sureté !"

"Je veux bien", répondit Blanche-Neige. Et elle resta avec eux.

Chaque matin, avant de partir travailler dans les mines à la recherche d'or et de diamants, les nains lui faisaient leurs recommandations :
"Méfie-toi de ta marâtre, bientôt elle saura que tu es ici ! N'ouvre à personne !"
Blanche-Neige promettait qu'elle ne laisserait entrer personne dans la maison et, restée seule, elle faisait le ménage, lavait, cousait. Le soir quand les nains rentraient, le repas était toujours prêt !

Mais comme les nains l'avaient prévu, la reine, qui
était sûre d'être la plus belle, interrogea son miroir :
"Miroir, miroir de mes désirs, qui est la plus belle du
royaume ?"
Le miroir répondit :
"Sur tout le royaume brille comme une étoile une très
belle jeune fille : c'est Blanche-Neige, la fille du roi qui
vit heureuse dans la maison des sept nains dans les
monts lointains."

La reine faillit s'étrangler de colère ! Comme le miroir ne pouvait pas mentir, elle se rendit compte que Blanche-Neige vivait encore. Alors elle chercha le moyen de se libérer d'elle. Elle s'enferma dans une pièce secrète et à l'aide d'une formule magique, fabriqua une belle pomme rouge et... empoisonnée. Celle qui mangerait une seule bouchée mourrait sur le champ.

La reine mit cette pomme dans un panier parmi
d'autres pommes, elle se transforma en paysanne,
traversa les bois, franchit les sept montagnes et frappa
à la porte de la maison des sept nains.
Blanche-Neige regarda par la fenêtre et dit :
"Je ne peux ouvrir à personne !"
"Je suis si fatiguée, laisse-moi entrer pour me reposer"
supplia la fausse paysanne.
Blanche-Neige eut pitié et lui ouvrit la porte. En
remerciement, la vieille paysanne lui offrit une
pomme.
"Je ne peux accepter !" dit Blanche-Neige.
La paysanne proposa alors :
"Coupons-la en deux moitiés !"

Bien entendu, comme seule la moitié rouge était empoisonnée, la paysanne mangea la moitié blanche. Blanche-Neige ne résista pas à la tentation et accepta la moitié rouge dont elle croqua un morceau.

Le soir, les nains la trouvèrent à terre, sans vie et cherchèrent en vain à la ranimer. Le cœur lourd, ils préparèrent un cerceuil de verre, y déposèrent Blanche-Neige et la portèrent dans les bois.

Un jour, un prince passa par là et il s'arrêta pour contempler Blanche-Neige. "Comme elle est belle !" s'exclama-t-il. "Qui est-ce ?"

"C'est la princesse Blanche-Neige", répondirent les nains.

"Donnez-moi ce cerceuil car je ne pourrai plus vivre loin de cette belle jeune fille. Je la garderai et je lui rendrai les honneurs que mérite la fille d'un roi."

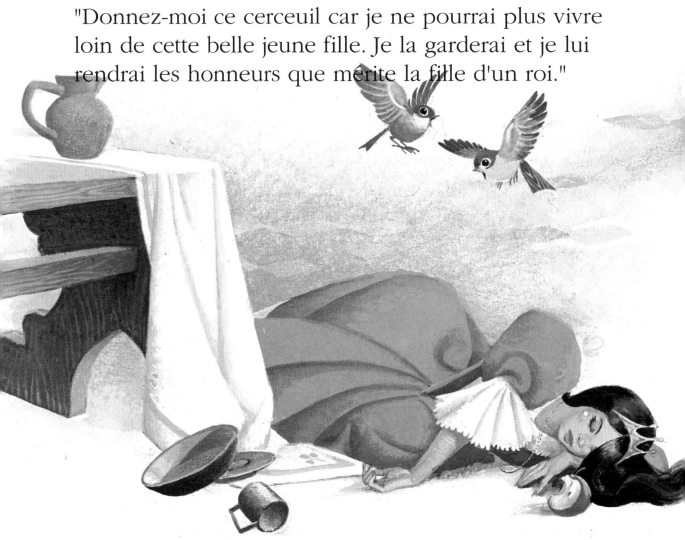

Les nains, émus, y consentirent. Les serviteurs du Roi, qui transportaient Blanche-Neige, trébuchèrent. Le cercueil tomba à terre. Sous le choc, le morceau de pomme empoisonné sortit de la bouche de Blanche-Neige. Elle ouvrit les yeux et vit le prince.

"Où suis-je ?" demanda-t-elle stupéfaite.

"Tu es en sécurité avec moi", dit le prince.

Puis il ajouta :

"Je veux t'épouser, accompagne-moi au château !"

Elle accepta avec joie. Les noces furent célébrées avec splendeur. Parmi les invités se trouvait la reine cruelle. Lorsqu'elle s'aperçut que l'épouse du prince n'était autre que Blanche-Neige, elle eut un tel accès de rage qu'elle en mourut.

HANSEL ET GRETEL

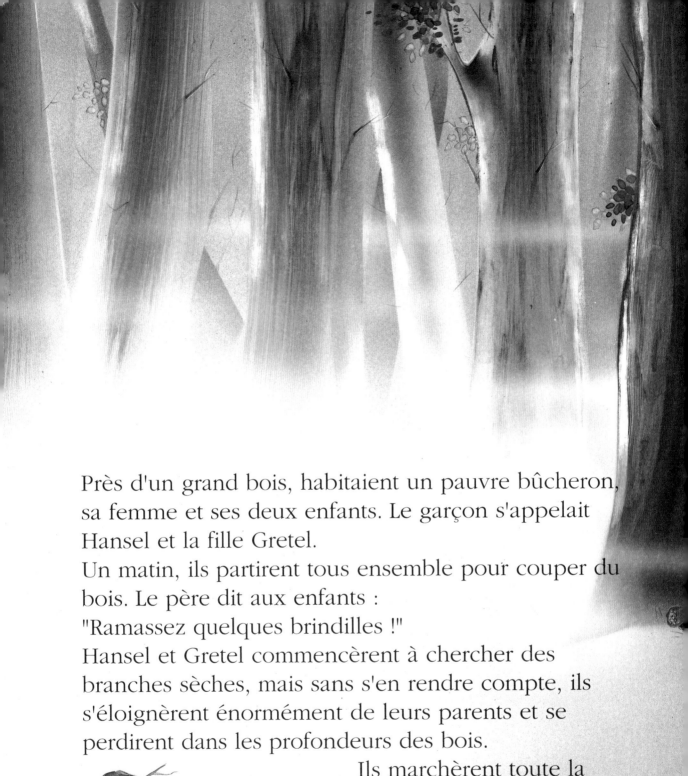

Près d'un grand bois, habitaient un pauvre bûcheron, sa femme et ses deux enfants. Le garçon s'appelait Hansel et la fille Gretel.

Un matin, ils partirent tous ensemble pour couper du bois. Le père dit aux enfants :

"Ramassez quelques brindilles !"

Hansel et Gretel commencèrent à chercher des branches sèches, mais sans s'en rendre compte, ils s'éloignèrent énormément de leurs parents et se perdirent dans les profondeurs des bois.

Ils marchèrent toute la journée sans retrouver le chemin de la maison.

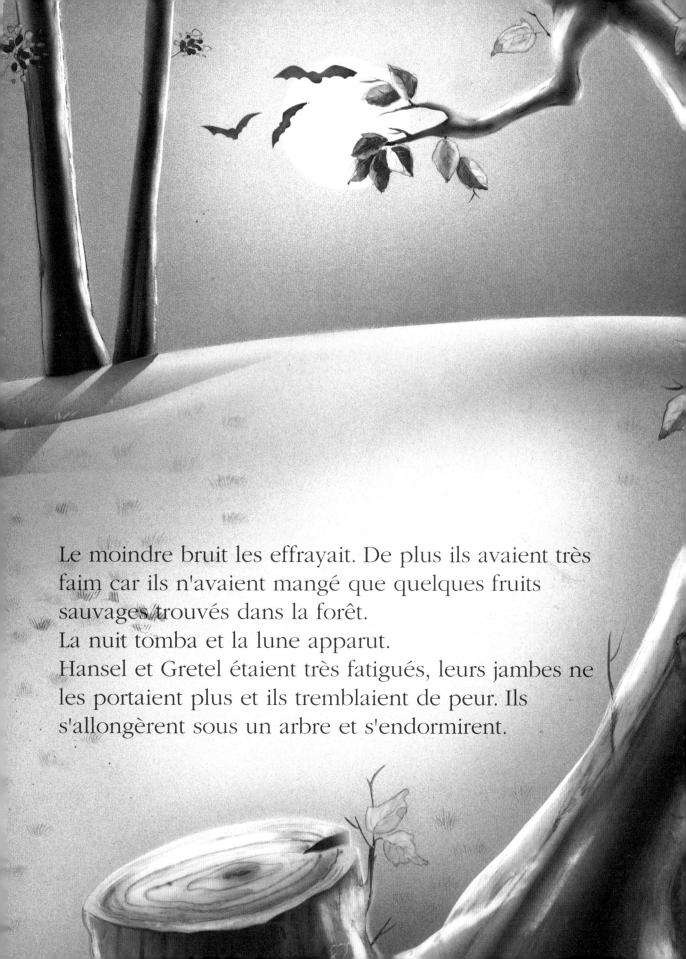

Le moindre bruit les effrayait. De plus ils avaient très faim car ils n'avaient mangé que quelques fruits sauvages trouvés dans la forêt.

La nuit tomba et la lune apparut.

Hansel et Gretel étaient très fatigués, leurs jambes ne les portaient plus et ils tremblaient de peur. Ils s'allongèrent sous un arbre et s'endormirent.

Au lever du jour, ils furent réveillés par
les petits animaux du bois et par les
gazouillements d'un petit oiseau qui
ouvrit ses ailes et vola devant eux.

Ils suivirent l'oiseau jusqu'à
ce qu'il se pose sur une
maisonnette. Les enfants
s'approchèrent et virent que
cette petite maison était faite
de pain recouvert de chocolat
et les fenêtres étaient en
biscuit.
"Quelle faim ! mais nous
pouvons manger !" s'exclama
Hansel.

"Moi, je goûterai à la fenêtre", dit l'enfant en tendant le bras pour y arracher un morceau de chocolat. Gretel s'adossa à l'endroit où elle se trouvait et arracha un morceau qu'elle mangea avec plaisir.

Brusquement la porte s'ouvrit et une vieille femme, courbée, en sortit. Hansel et Gretel, effrayés, laissèrent tomber ce qu'ils avaient en main.

La vieille dit d'une voix rauque : "Entrez les enfants, je ne vous ferai aucun mal." Et les prenant par la main, elle les conduisit dans la maison. Elle faisait semblant d'être gentille, mais en réalité, elle était une méchante sorcière qui attirait les enfants dans sa maisonnette pour les manger.

La sorcière observa bien Hansel et pensa :
"Il sera un mets délicieux, mais pour l'instant, il est trop maigre, je dois bien le nourrir." Elle l'enferma dans une grosse cage.
Tous les matins, Hansel recevait de la nourriture délicieuse alors que Gretel se contentait de quelques morceaux de pain.
Le garçon enleva un os de poulet. La vieille qui était très myope criait :
"Tu dois manger tout !"

Comme Hansel ne grossissait pas, la sorcière perdit patience et décida : "Je tuerai Hansel et je le cuisinerai !"

Entendant ces paroles, la petite sœur, désespérée, éclata en sanglots.

"Il faut préparer le pain", dit la vieille, "Gretel, vérifie que le four est bien chaud !"

Gretel répondit : "Je suis incapable de juger !"

Alors la vieille s'avança vers le four en boitant. Gretel la poussa dans le four et referma la porte. La cruelle sorcière brûla.

Gretel se précipita pour libérer Hansel.
Les deux enfants s'embrassèrent de joie.
Ensuite, sans avoir peur, ils descendirent dans
la cave de la sorcière où ils trouvèrent un
grand coffre débordant de perles, de bijoux et
de pierres précieuses.
"Quelles merveilles !" s'exclamèrent-ils.
Hansel remplit ses poches le plus qu'il pouvait
alors que Gretel faisait un paquet.
"Maintenant, essayons de sortir du bois et
rentrons !" dit Hansel.
Ils marchèrent quelques heures avant de
rencontrer une rivière.
"Comment allons-nous faire pour traverser, il
n'y a ni pont ni barque !" dit Hansel.
"Regarde : là, il y a un canard qui nage", dit
Gretel, "Demandons lui de nous transporter de
l'autre côté."

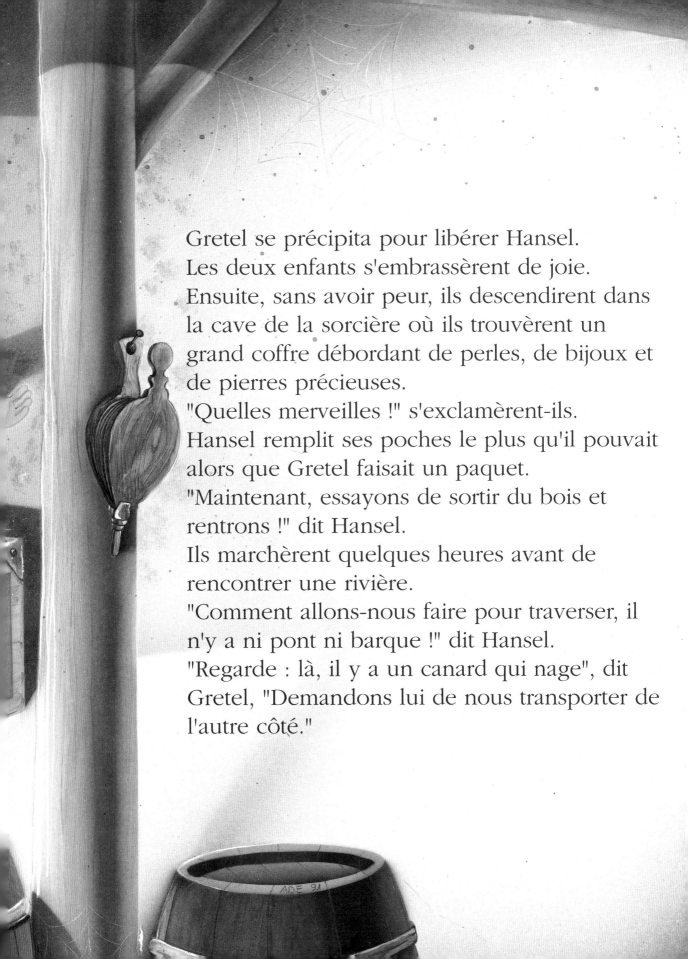

"Canard, petit canard !" implorèrent-ils.

Le canard alla à leur secours et les transporta sur l'autre rive.

Ils se retrouvèrent sur un sentier connu et en peu de temps ils furent à la maison. Ils se précipitèrent à l'intérieur en criant :

"Maman, papa... nous sommes là !"

Rassurés, les parents les embrassèrent. Ensuite, Gretel ouvrit le paquet et Hansel retourna ses poches : pierres précieuses, bijoux et perles tombèrent sur le sol. La famille ne connut plus la misère et tous vécurent heureux.

PIERRE ET LE LOUP

Petit Pierre et son grand-père habitaient dans une maison entourée d'un grand jardin limité par une clôture.

Tout près, un gros arbre poussait sur le bord d'une mare. Pas très loin s'étendait la forêt sombre et mystérieuse.

Un beau matin, Pierre ouvrit le portail et s'en alla sur le pré.

Un petit oiseau, l'ami de Petit Pierre, qui était perché sur l'arbre chantait : "Cip... cip... quelle belle journée !"
Derrière Petit Pierre, un canard avançait en se dandinant, il fut tout content de sauter dans la mare.
A peine l'oiseau eut-il aperçu le canard qu'il alla se poser près de lui pour le taquiner :
"Quelle race d'oiseau es-tu pour que tu ne saches pas voler ?", "Et toi, quelle race d'oiseau es-tu pour ne pas savoir nager ?"
Ils continuèrent à se chamailler durant un moment pendant que le canard nageait sur la mare et que l'oiseau survolait l'eau.

Tout à coup, le chat s'approcha, marchant à pattes de velours. Il pensait :
"Je mangerais bien ce petit oiseau !"
Petit Pierre aperçut la scène et cria :
"Attention !"
Par chance, l'oiseau eut le temps d'aller se percher sur un arbre, pendant que le canard caquetait "Qua... qua..."
Le chat commença à tourner autour de l'arbre ne sachant que faire.

Tout à coup, le grand-père arriva très en colère et dit à Petit Pierre :

"C'est très dangereux de se promener sur le pré car dans la forêt toute proche se trouvent des loups féroces !"

Petit Pierre lui dit qu'il n'avait pas peur. Mais le grand-père le prenant par la main, le conduisit à la maison. A peine l'enfant était-il rentré, qu'un gros loup gris et affamé apparut à l'orée de la forêt.

Le chat sauta sur l'arbre.

Le canard sortit de la mare, malgré tous ses efforts, il ne réussissait pas à courir plus vite que le loup qui le poursuivait. Celui-ci le rejoignit et l'avala d'une seule bouchée.

Le loup qui n'était pas rassasié commença à tourner autour de l'arbre. Il regardait avec des yeux avides le petit oiseau et le chat.

Petit Pierre qui avait observé la scène eut une idée.

Il courut prendre une corde, sortit de la maison, grimpa sur la clôture afin d'atteindre une branche d'arbre. Petit Pierre dit à l'oiseau :
"Volète autour du museau du loup, mais prends garde de ne pas te faire attraper !"
L'oiseau volait au-dessus de la tête du loup, qui toujours plus furieux n'arrivait pas à le saisir.

Le loup ne s'était pas aperçu que Petit Pierre avait attaché un bout de la corde à l'arbre et l'autre à sa queue.

A ce moment, quelques chasseurs qui suivaient sa trace apparurent à la lisière de la forêt.

Du haut de l'arbre, Petit Pierre s'écria :

"L'oiseau et moi avons déjà capturé le loup ! Aidez-nous à l'emmener au zoo."

Et tous ensemble ils s'en allèrent.

Petit Pierre marchait à la tête de la troupe, les chasseurs et le loup venaient ensuite, suivis du grand-père et du chat.

Tout en grommelant, le grand-père disait au chef : "Mais si Petit Pierre n'avait pas capturé le loup, comment tout cela se serait terminé ?"

Heureux, l'oiseau volait en chantonnant : "Comme nous avons été braves !"

En écoutant attentivement, on pouvait entendre le canard qui faisait "Qua... qua..." dans le ventre du loup qui l'avait avalé vivant et entier.

LE CHAT BOTTE

Il était une fois un honnête meunier qui avait travaillé dur toute sa vie. A sa mort, il laissa en héritage à ses trois fils : son moulin, un âne et un chat. Le moulin revint à l'aîné, l'âne au second et le plus jeune n'eut rien d'autre que le chat.

Le garçon ne pouvait se consoler, il se lamentait : "Avec le moulin et l'âne, mes frères pourront gagner honnêtement leur vie, mais pauvre de moi, quand j'aurai mangé le chat et que j'aurai fait un col avec sa fourrure, je devrai mourir de faim !"

Le chat l'avait écouté et n'avait pas du tout apprécié l'idée d'être transformé en pelisse, il lui dit d'un air grave et tranquille :

"Mon cher Maître, ne te désole pas, trouve moi un sac de toile solide, une paire de bottes et je te prouverai que je suis plus utile que tu ne le penses."

Le jeune garçon n'accorda pas un grand crédit aux paroles du chat, mais il le savait si rusé pour attraper les souris qu'il ne désespérait pas de voir la bête lui venir en aide.

Le chat obtint ce qu'il avait demandé, il mit les bottes, remplit le sac d'herbe et y fixa un long cordon. Puis il se rendit dans une contrée remplie de lapins de garenne. Il posa son sac, le laissa bien en vue et se cacha, attendant qu'un petit lapin ignorant pénètre dans le sac. Bientôt un lapin étourdi commença à manger. Le chat, rapide comme l'éclair, tira le cordon du sac et le tint prisonnier.

Tout fier, le chat se dirigea vers le château du Roi.

"Je veux parler au Roi", demanda-t-il au garde.

Il fut introduit auprès de sa majesté. Il fit une
révérence et dit :

"Mon Maître, le Marquis de Carabas (nom qu'il avait
donné au fils du meunier), offre à votre majesté ce
lapin de garenne capturé sur sa réserve.

"Dis à ton Maître que je le remercie", répondit le Roi.

Une autre fois, le chat se cacha dans un champ de blé et réussit à capturer deux belles perdrix qu'il se dépêcha de porter au Roi.

"Sire, je vous porte deux perdrix que le Marquis de Carabas a capturées pour vous."

Le Roi accepta avec plaisir. De temps en temps, le chat apportait à la cour de l'excellent gibier et affirmait chaque fois qu'il provenait de la réserve de chasse, de la forêt ou des cultures du Marquis de Carabas.

En échange, il recevait des récompenses qu'il remettait à son maître.

Un jour, il entendit deux serviteurs qui disaient :
"Demain, le Roi et la princesse vont faire une
promenade le long de la rivière."
Vite, il alerta son Maître :
"Si tu suis mon conseil, ta fortune sera faite : tu iras à
la rivière et tu prendras un bain, là où je te le dirai. Je
m'occupe du reste."
Le prétendu Marquis de Carabas suivit ce conseil, sans
même savoir à quoi cela devait servir.

Le jour suivant, pendant que le jeune homme prenait son bain, le Roi passa. Alors le chat cria de toutes ses forces : "Au secours, mon Maître se noie !"
A ces cris, le Roi regarda par la fenêtre de son carrosse et reconnut le chat. Il ordonna :
"Arrête cocher ! Garde, descends pour sauver le Marquis de Carabas."

Pendant le sauvetage du Marquis, le chat s'avança vers le carrosse du Roi et dit : "Merci majesté ! Le Marquis a été poussé à l'eau par deux voleurs qui lui ont dérobé ses vêtements."

En réalité le chat les avait cachés sous une grosse pierre. Le Roi envoya chercher le plus bel habit de sa garde robe. Le jeune Marquis endossa le vêtement du Roi et se dirigea vers le carosse pour remercier. Le Roi l'invita à monter près de lui pour poursuivre ensemble la promenade.

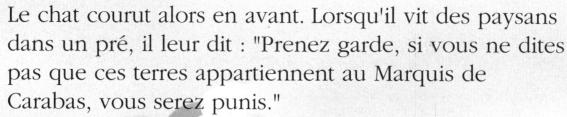

Le chat courut alors en avant. Lorsqu'il vit des paysans dans un pré, il leur dit : "Prenez garde, si vous ne dites pas que ces terres appartiennent au Marquis de Carabas, vous serez punis."

Peu après, le carrosse arriva. "A qui appartiennent ces terres ?", demanda le Roi.

"Elles sont au seigneur, Marquis de Carabas", répondirent en chœur les paysans.

Le Roi admiratif se tourna vers le jeune homme : "Vous avez une bien belle propriété, Marquis !"

Pendant ce temps, le chat ouvrait la route. Aux
moissonneurs, aux bergers, aux vignerons, à tous il
recommandait :
"Si vous ne dites pas que ces terres appartiennent au
Marquis de Carabas, il vous réduira en chair à pâté !"
Chaque fois que le Roi demandait à qui étaient ces
champs de blé, ces vignes, ces troupeaux, chacun lui
répondait toujours :
"Au seigneur, Marquis de Carabas."
L'estime du Roi pour ce gentilhomme grandissait de
lieue en lieue.

Le chat arriva à un château qui appartenait à l'ogre le plus riche : toutes les terres que le Roi avait traversées dépendaient de lui. Le chat s'annonça : "Je suis le chat du Marquis de Carabas !" L'ogre le reçut et le chat lui dit : "On m'a assuré que vous avez le don de vous transformer en l'animal de votre choix. Je me demande si ces rumeurs sont vraies."

"Certainement ! Je peux me transformer comme je veux !", répondit l'ogre. Et pour t'en donner la preuve, je vais devenir lion.

Et en un éclair, l'ogre se transforma en un énorme lion. Le chat en fut si effrayé qu'il se blottit sous un abri car ses bottes le gênaient pour monter sur les toits.

Quand l'ogre reprit son premier aspect, le chat
reconnut qu'il avait éprouvé une grande peur puis il
ajouta :
"Pour vous qui êtes grand, vous transformer en lion est
chose facile, mais il me semble impossible que vous
puissiez prendre la forme d'un animal beaucoup plus
petit, comme une souris par exemple !"
"Impossible ?", rugit l'ogre, "Tu vas voir !"
Et il se transforma en souris qui courut à travers toute
la pièce.

Vif comme l'éclair, le chat bondit sur la souris et la dévora.
Ayant ainsi éliminé l'ogre, le chat passa dans le château et annonça :
"L'ogre est mort ! Le nouveau Maître est le Marquis de Carabas. Préparez-vous à recevoir le Marquis et sa majesté le Roi !"

Le carrosse royal arriva au château ; le chat se précipita :
"Majesté, bienvenue dans le château du Marquis de
Carabas !"
Le Roi pâlit et s'exclama :
"Comment, Marquis, ce château est à vous ? Quelle belle
cour ! Quelles grandes tours ! Entrons, s'il vous plait !"

Le Marquis offrit son bras à la princesse et suivant le Roi, ils entrèrent dans le salon où l'ogre avait fait préparer un somptueux repas pour des amis qui devaient lui rendre visite. Des amis qui n'osèrent pas entrer lorsqu'ils surent que le Roi se trouvait là.

Le Roi fut conquis par les bonnes manières et les énormes richesses du Marquis. Déjà, la comtesse était tombée amoureuse. A la fin du banquet, le Roi, fort gai, proposa :
"Cher Marquis, je vous offre la main de ma fille !"
Le Marquis, fit une grande révérence, accepta ce grand honneur et épousa la belle princesse le jour même.

Le chat qui avait provoqué tant de fortune par ses ruses, devint un grand seigneur qui chassait les souris uniquement pour le plaisir.

LE PETIT POUCET

Il était une fois, à la lisière d'un bois, une cabane où habitaient un bûcheron, son épouse et ses sept fils. L'aîné avait dix ans, le plus jeune en avait sept. Le dernier était si petit, il n'était pas plus haut qu'un pouce, qu'on l'appela le Petit Poucet.

Ce petit garçon qui paraissait très fragile, ne parlait pas beaucoup, mais il était le plus rusé de tous et il écoutait tout ce qui se disait.

Cette année là, survint une terrible famine. Un soir, le bûcheron, le cœur serré par la détresse, dit à sa femme :

"Nous n'avons plus de provisions, nous ne pouvons plus nourrir nos enfants ; demain matin, je les conduirai dans les bois où je les abandonnerai ! Que le destin leur vienne en aide !"

"Oh !" s'exclama la femme desespérée, "Serais-tu capable d'une telle cruauté ?" Mais finalement, elle se résigna.

Le Petit Poucet, dissimulé sous le tabouret de son père, avait tout entendu sans être vu.

Il retourna se coucher, mais ne ferma pas les yeux de la nuit, pensant à ce qu'il pouvait faire. A l'aube, il se rendit au ruisseau, remplit ses poches de pierres blanches, puis rentra.

Toute la famille se dirigea vers la forêt profonde, chacun se mit au travail. Pendant que les enfants étaient occupés à ramasser des branches sèches, le père et la mère s'éloignèrent furtivement et s'en allèrent par un sentier caché.

Quand le soir tomba et qu'ils s'aperçurent qu'ils étaient
seuls, les enfants se mirent à pleurer et à appeler :
"Au secours ! Maman ! Papa ! Nous sommes perdus !"
Mais le Petit Poucet avait semé une à une tout au long
du chemin les pierres qu'il avait dans ses poches, il
s'exclama :
"Faites-moi confiance, suivez-moi !"
Et ainsi, il retrouva le chemin qui menait à la maison.
Mais avant d'entrer, ils écoutèrent ce que disaient les
parents.

Le papa avait reçu dix écus en
paiement de la livraison de troncs
d'arbres. La maman se lamentait :
"Que font nos enfants ? Le loup a dû les
manger !"
En l'entendant, les enfants crièrent en
chœur :
"Nous sommes là !" et ils entrèrent.
La maman les embrassa, elle était
rassurée. Ils parlaient tous en même
temps pour raconter leur grande peur
au milieu de la forêt.

La joie de la famille ne dura pas longtemps. A nouveau, le bûche-ron pensa abandonner ses enfants, plus loin encore dans la forêt. Mais ils en parlèrent à voix basse et le Petit Poucet ne les entendit pas. Le matin, il n'avait pas eu le temps d'aller ramasser des pierres blanches. La maman distribua à chacun un morceau de pain et le Petit Poucet sema des miettes sur tout le parcours.

Les parents abandonnèrent leurs enfants à l'endroit le plus reculé et le plus sombre de la forêt. Le Petit Poucet ne s'inquiétait pas, pensant retrouver son chemin. Mais il s'aperçut avec stupeur que les oiseaux avaient mangé toutes les miettes.

Les enfants, désespérés, commencèrent à sangloter car la nuit était venue et un violent orage éclata. Ils étaient trempés.

Seul le Petit Poucet garda son sang froid. Il grimpa à la cime d'un arbre et, de là, distingua une très faible lueur qui brillait au loin.

"Suivez-moi !", dit le Petit Poucet.
Sous la tempête, les sept frères se dirigèrent vers la
lisière de la forêt et arrivèrent finalement à la maison
d'où venait la lueur. Ils frappèrent à la porte. Une
dame vint ouvrir et demanda :
"Qui êtes-vous ?"
"Nous sommes sept frères égarés, donnez-nous un
endroit pour dormir, s'il vous plait !"
"Fuyez vite, c'est ici la maison de l'ogre, s'il vous voit,
il vous mangera !"

"Madame, dans la forêt, le loup nous mangera ; si vous nous laissez entrer, peut-être que l'ogre aura pitié de nous."
Elle pensa qu'elle pourrait les cacher jusqu'au lendemain, elle les fit avancer près de la cheminée pour qu'ils se réchauffent.

Tout à coup, trois coups ébranlèrent la porte : l'ogre rentrait.

"Vite, cachez-vous sous le lit", s'exclama la femme de l'ogre, puis elle alla ouvrir.

"Mon dîner est-il prêt ?" hurla une grosse voix.

"Bien sûr, un mouton entier cuit sur le fourneau."

L'ogre s'attabla et se mit à dévorer son dîner. Tout en mangeant, il renifla :

"Je sens de la chair fraîche !", dit-il.

L'ogre regardant la femme d'un air menaçant reprit :
"Je sens une odeur de chair fraîche !" Il se dirigea vers
le lit, vit les enfants et hurla :
"Ah ! Vilaine menteuse ! Tu voulais me tromper !" Il
sortit les sept frères de leur cachette. Ceux-ci
implorèrent pitié à genoux.
L'ogre pensait : "Ils feront un plat délicieux."
Sa femme le suppliait : "Il est tard, et ils sont si
maigres, attends jusqu'à demain."
"Fais-les bien manger pour qu'ils grossissent et couche-
les !"

La brave femme prépara un délicieux repas, mais les sept frères épouvantés, n'osèrent y toucher. Elle leur mit un bonnet à chacun, les coucha dans un grand lit, les borda puis les laissa dormir. Le Petit Poucet craignait que l'ogre les tue pendant la nuit.

L'ogre avait aussi sept garçons qui n'étaient pas encore bien mauvais. Ils dormaient tous les sept dans un autre grand lit et chacun d'eux portait une petite couronne sur la tête.

Le Petit Poucet échangea les bonnets de ses frères et le sien contre les couronnes des sept petits ogres.

Comme le Petit Poucet l'avait prévu, l'ogre sauta du lit, saisit son couteau et monta à tâtons dans la chambre où dormaient ses sept enfants et les sept frères.
De la main, il toucha la tête du Petit Poucet et de ses frères, mais sentant les couronnes d'or, l'ogre fit un bond en arrière et se dirigea vers l'autre lit. Ne se rendant pas compte de la supercherie, sans hésiter, il trancha la gorge de ses sept fils et retourna se coucher.

Le Petit Poucet entendit l'ogre ronfler bruyamment, il réveilla ses frères et leur dit de s'habiller et de le suivre. Sans faire de bruit, les enfants descendirent, enjambèrent le mur d'enceinte et coururent, coururent toute la matinée, sans savoir où aller. L'ogresse, qui n'était au courant de rien, monta dans la chambre et trouva ses sept fils inertes, et sans vie. La pauvre femme s'évanouit.

L'ogre monta à son tour et fut pétrifié d'horreur devant ce spectacle. "Ah ! Qu'ai-je fait ? Ces malheureux me le paieront !"

Il chaussa ses bottes de sept lieues et s'élança à la poursuite des sept frères. Il commença à courir dans tous les sens, il sautait les montagnes, traversait les rivières.

Finalement, il suivit le sentier emprunté par les sept
frères. Ils ne se trouvaient plus qu'à cent pas de la
maison de leurs parents, quand ils aperçurent l'ogre qui
arrivait. Le Petit Poucet remarqua une caverne toute
proche.
"Allons vite nous cacher dans cette grotte", leur lança-t-il.
L'ogre, fatigué de tout le chemin qu'il avait parcouru,
s'allongea sur un pré, non loin de la grotte, et ne tarda
pas à s'endormir en ronflant bruyamment.
Le Petit Poucet recommanda à ses frères :
"La maison de nos parents n'est pas loin, dépêchez-vous
d'y parvenir et ne vous faites pas de soucis pour moi."
Quand ses frères furent en sécurité, le Petit Poucet
s'approcha de l'ogre et lui enleva ses bottes et ses
chaussettes.

Les bottes avaient été conçues pour s'adapter aux pieds de celui qui les chaussait ; ainsi le Petit Poucet eut pu croire qu'elles avaient été faites à ses mesures.
Il courut droit à la maison de l'ogre et y trouva l'ogresse très éprouvée. Il lui dit :
"Votre mari court un grave danger ! Il a été fait prisonnier par une bande de brigands qui vont le tuer s'il ne leur donne pas toutes ses richesses."
La brave femme, apeurée, lui remit immédiatement tout ce qu'elle possédait.
Le Petit Poucet, chargé de toutes ces richesses, rentra à la maison paternelle où il fut accueilli avec une grande joie.

Enfin, le Petit Poucet courut à la cour du Roi auquel il proposa ses services. Grâce à ses bottes de sept lieues, il portait très rapidement les dépêches, suscitant l'admiration générale. En récompense, il fut nommé "Messager de la cour". Ainsi il gagna beaucoup d'argent qui lui permit d'assurer une vie aisée à ses parents et à ses frères.

LE PETIT
CHAPERON ROUGE

Il était une fois, une petite fille qui était la plus belle et la plus gracieuse que l'on ait vue, que tout le monde appelait le Petit Chaperon Rouge car elle portait toujours, été comme hiver, un petit manteau avec le capuchon rouge.

Un jour, la maman qui avait préparé de bonnes galettes appela sa fille et lui dit :

"Grand-mère est malade, va lui rendre visite et porte-lui ces gâteaux."

"J'irai tout de suite, maman ; je prendrai le sentier du bois pour arriver plus vite."

La maman prudente suggéra :

"Tu ferais mieux de prendre la grande route. Mais si tu passes par le bois, ne t'arrête pas en chemin, pas même pour cueillir des fleurs."

L'enfant promit et s'en alla par le bois.

Le jour était clair et serein, les petits oiseaux
gazouillaient joyeusement.
Le Petit Chaperon Rouge suivait le sentier quand tout à
coup, un loup énorme, qui avait un formidable
appétit, sortit d'un buisson.
Le loup aurait volontiers dévoré le corps tendre de la
fillette mais par prudence il se retint car les coups des
bûcherons résonnaient. Et les oiseaux du bois auraient
fait un tel tapage qu'ils auraient alerté tout le monde.

Le loup s'approcha du Petit Chaperon Rouge et
demanda d'un air gentil :

"Où vas-tu belle enfant ?"

"Je vais chez ma grand-mère qui est malade", répondit-
elle.

"Porte-lui des fleurs, tu verras comme elle sera
contente", suggéra le loup.

"C'est une bonne idée", pensa le Chaperon Rouge qui
s'arrêta pour composer un bouquet.

Pendant ce temps, le loup courut à la maison
de la grand-mère, frappa et imitant la voix de
la fillette dit : "Je suis ta petite fille !"

La petite vieille qui était alitée répondit :
"Bonjour mon enfant, tire le verrou et la porte
s'ouvrira."
C'est ce que fit le loup et, la porte grande ouverte, il se
rua sur la pauvre grand-mère et l'avala en un clin
d'œil. Puis il enfila les vêtements et le bonnet de la
vieille dame, s'allongea sous les draps et attendit.

Peu après arriva le Petit Chaperon Rouge qui frappa à
la porte :

"Toc, toc !"

"Qui est là ?" grommela une voix rauque.

"Je suis le Petit Chaperon Rouge", et songeuse, elle
ajouta :

"Quelle voix étrange tu as, grand-mère !"

"C'est que je suis très enrouée" répondit le loup qui
ajouta :

"Entre ; tire le verrou et la porte s'ouvrira."

Le Petit Chaperon Rouge entra dans la maison et s'approcha du lit où était couchée la grand-mère. Le bonnet dépassait à peine de la couverture de façon à cacher le museau et les crocs. La fillette, surprise par l'étrange aspect de la grand-mère s'exclama :

"Oh ! Grand-mère comme tes bras sont longs !"

"C'est pour mieux t'embrasser mon enfant !"

"Oh ! Grand-mère que tu as de grandes oreilles !"

"C'est pour mieux t'écouter mon enfant !"

"Oh ! Grand-mère que tes yeux sont grands et rouges !"

"C'est pour mieux te voir mon enfant !"

"Oh ! Grand-mère que tu as de grandes dents !"

"C'est pour mieux te manger !" gronda le loup, qui sauta hors du lit et avala la fillette d'une seule bouchée.

Rassasié, le loup se remit au lit et s'endormit.

C'est alors qu'un chasseur passa par là. Comme d'habitude, il s'approche de la maison pour saluer la grand-mère. Il y entendit un ronflement insolite et pensa : "Je dois jeter un coup d'œil, il y a quelque chose d'anormal."

Il pénétra dans la maison, s'approcha du lit où le loup dormait profondément. Le chasseur s'écria :

"Sale bête, tu vas avoir affaire à moi !"

Il empoigna son couteau et ouvrit le ventre du loup.

Le Petit Chaperon Rouge et la grand-mère sortirent du ventre en parfaite santé. Tous étaient heureux de même que les petits oiseaux de la forêt qui gazouillaient joyeusement.

LE ROI LAPIN

Dans la région de Scozia, tous étaient désolés : le Roi soupirait, la reine s'enfermait dans sa chambre et refusait la nourriture ; les courtisans étaient tristes et découragés, ils erraient dans les vastes salles du palais. La cause de ce grand désespoir, était l'absence d'un héritier du trône. Depuis des années, tous étaient dans l'attente de la naissance d'un petit prince. Que deviendra le royaume s'il n'y a pas d'héritier ? se demandaient préoccupés les conseillers du Roi. Le pauvre souverain ne savait que faire pour résoudre ce problème.

A la fin, il décida d'inviter tous les jeunes nobles du royaume. Qu'ils se présentent le dimanche pour être soumis à trois épreuves. Le vainqueur de ces trois épreuves deviendra le prince héritier.

Les messagers du Roi partirent de suite annoncer la nouvelle dans tous les villages du royaume.

Le Roi était assis sur le trône et les concurrents commencèrent à défiler en cortège. Le prince Camille cousin du Roi, marchait avec assurance. Le dernier concurrent était un gracieux lapin blanc qui avançait avec dignité. La foule regardait, stupéfaite.
Le grand chancelier lança un coup de pied vers l'animal afin de le chasser, mais celui-ci dit :
"C'est inutile de chercher à m'éloigner, moi aussi, j'ai le droit de participer. J'ai vingt ans et je suis un lapin de noble race. Je prétends participer aux trois épreuves."
Le Roi fut convaincu, il déclara :
"Lui aussi peut prendre part à la compétition !"

La première épreuve était une course de vitesse. Le Roi donna le départ : les concurrents démarèrent très vite sous les encouragements du public.

Camille et le lapin se séparèrent rapidement des autres. A proximité de la ligne d'arrivée, le lapin ne ralentissait pas sa course : il faisait de grands bonds. Aussi arriva-t-il le premier.

La seconde épreuve consistait en un duel à l'épée. Le Roi décida que seuls Camille et le petit lapin étaient des concurrents valeureux et que les autres ne participeraient plus au concours.

Le prince, faisant tournoyer son épée, s'élança sur son adversaire afin de le toucher, mais le lapin le blessa le premier.

Le prince tomba à terre en poussant un cri de douleur.
La foule applaudit chaleureusement le vainqueur.

Le lapin avait pris un énorme avantage. Le Roi, pourtant, trouvait inacceptable qu'une bête puisse s'asseoir sur le trône de la famille. Il demanda donc que soit organisée la troisième épreuve.

Elle consistait en un examen de connaissances. Les savants du royaume posèrent des questions en tous genres à Camille et à son rival. Mais pendant que l'élégant et vaniteux prince restait muet, incapable de répondre, le lapin montra une vaste culture et une intelligence brillante.

A nouveau le peuple applaudit avec enthousiasme le grand vainqueur. Si bien qu'à contrecœur, le Roi se vit contraint de proclamer les résultats : le lapin blanc qui avait fait preuve d'une grande supériorité sur ses rivaux devenait héritier du trône de Scozia.

Alors un formidable éclair secoua la terre et un nuage noir entoura le lapin, le dissimulant aux regards des présents.
Puis le nuage se dissipa, et à la place du lapin, apparut un beau jeune homme qui s'inclina avec grâce devant le souverain.

"Je suis le prince Silvio, parent au second degré du Roi d'Angleterre ; un magicien m'avait transformé en lapin, me contraignant à vivre sous cet aspect jusqu'à ce que votre majesté me nomme son successeur", dit-il.
Alors, dans tout le royaume, furent organisées des fêtes grandioses en l'honneur du jeune prince. Quand le Roi mourut, le prince Silvio lui succéda sous le nom de Roi Lapin I.

CENDRILLON

Un riche marchand, devenu veuf, se remaria avec une femme vaniteuse et arrogante. Elle avait deux filles qui avaient hérité de son mauvais caractère. Le marchand, lui aussi, avait une fille aimable et bonne, sans aucun point commun avec ses demi-sœurs.

Profitant de l'absence du père, la marâtre et ses filles commencèrent à la maltraîter et l'obligèrent à faire les gros travaux. Elles lui dirent : "A partir d'aujourd'hui, tu seras notre domestique." Dès l'aube, elle allait puiser l'eau au puits, balayait, lavait, cuisinait.

Le soir, elle allait s'asseoir devant la cheminée, près du feu et comme elle était toujours couverte de cendres, par dérision, on l'appela Cendrillon.

Un jour, un envoyé du Roi, parcourant les rues de la ville, annonça :

"Le prince, fils du Roi, donnera un grand bal à la cour. Il ordonne que toutes les jeunes filles y participent. Le prince choisira parmi les plus belles, celle qu'il épousera."

A cette nouvelle, la mère dit à ses deux filles :

"C'est une occasion à ne pas manquer, vous devez être très élégantes à cette fête !"

Le soir du grand bal, une grande agitation animait la
maison de Cendrillon. Toutes trois la commandaient.
Cendrillon courait d'un bout à l'autre de la maison
pour satisfaire ses demi-sœurs. Quand, finalement, les
trois femmes furent prêtes, elles se rendirent au
château.

Cendrillon se retrouva seule, elle s'assit près de la cheminée et s'endormit.
Tout à coup une fée apparut. "Cendrillon, réveille-toi, veux-tu aller au bal ?"

Cendrillon répondit en rougissant :
"Cela me ferait grand plaisir, mais je n'ai ni vêtement, ni
carrosse."
"Je t'aiderai. Va dans le potager, cueille la plus grosse
citrouille, attrape deux lézards dans le jardin et six souris
dans la cave et apporte-moi tout cela !" Cendrillon obéit.
D'un coup de baguette magique la citrouille devint un
superbe carrosse, les souris : six magnifiques chevaux
blancs à la longue crinière, les lézards : deux élégants
valets. La fée prit le chat et le transforma en un cocher
aux imposantes moustaches.

"Dois-je y aller ainsi vêtue ?"
D'un coup de baguette, les haillons de Cendrillon
devinrent une merveilleuse robe cousue d'or, alors que
ses sabots se transformèrent en chaussures de vair.
"Oh ! Que c'est beau !" s'exclama Cendrillon.

La fée lui fit une recommandation :
"Va à la fête, amuse-toi, mais à minuit très exactement,
tu devras être de retour, car le charme s'arrêtera." Puis
la fée disparut.
Cendrillon monta dans le carrosse ; les six chevaux
blancs semblaient avoir des ailes, car ils arrivèrent au
palais en un instant.
La salle du bal était immense et éclairée de mille
lumières. Quand Cendrillon entra, on entendit un
murmure : "Comme elle est belle !"

Le prince invita immédiatement la belle inconnue pour une danse.

"Dites-moi votre nom ?", implora-t-il.

"Altesse, je ne puis vous répondre" répondit Cendrillon.

Elle dansait avec une telle grâce que l'émerveillement des invités grandit encore.

Tout à coup, en entendant sonner les douze coups de minuit à l'horloge, Cendrillon s'écria :

"Il est tard, je dois partir !" et elle s'enfuit.

Le prince tenta de la suivre, mais en vain ; il ramassa seulement une pantoufle de vair, que dans sa hâte, la jeune fille avait perdue
en fuyant.

Un envoyé du Roi annonça dans toutes les maisons :
"Celle qui réussira à enfiler la pantoufle de vair
deviendra l'épouse du prince. Ainsi en a décidé le
Roi."
Tous les efforts des filles furent vains car leurs pieds
étaient trop grands.
Le gentilhomme aperçut Cendrillon et l'appela :
"Je dois faire essayer la pantoufle, à vous aussi !"
Les demi-sœurs et la marâtre se moquèrent :
"Mais c'est notre domestique !"
"L'ordre du Roi est catégorique, toutes les jeunes filles
du royaume doivent l'essayer !"
Cendrillon s'avança, son pied entrait parfaitement dans
la pantoufle.

Les pages du Roi l'invitèrent à se rendre au château où le prince la trouva encore plus belle que jamais.
Les noces furent célébrées quelques jours plus tard. Cendrillon pardonna leur méchanceté à ses demi-sœurs, elle les invita au palais et les maria à deux gentilshommes de la cour. Et tous vécurent heureux pendant plus de cent ans.

DES CONTES RUSSES

LE LOUP ET LA CHEVRE

Un loup vit une chèvre qui, au prix d'un grand effort, broutait l'herbe sur un promontoire rocheux et à la pente très raide. "Pourquoi te fatigues-tu tant ?", dit-il en regardant vers le haut. "Là-haut, l'herbe est rare et le sol est irrégulier. Viens là où je suis, le pâturage est plat et tu y trouveras de l'herbe savoureuse".

Après avoir réfléchi, la chèvre répondit :

Ce n'est pas tant la préoccupation de ce que je mange qui te pousse à m'inviter, mais bien plus ce que toi, tu veux manger !"

LE LION, L'ANE ET LE RENARD

Un lion, un âne et un renard décidèrent un jour d'aller à la chasse. Ils firent bonne chasse et, quand vint le moment de partager, le lion ordonna à l'âne de répartir équitablement le gibier. L'âne obéissant, fit trois parts rigoureusement égales, mais en voyant cela, le lion entra dans une grande colère et dévora l'âne. Se tournant ensuite vers le renard, il dit :
"Cet âne était un bon à rien ! Toi, fais la juste répartition".
Le renard, qui était rusé, mit presque tout le gibier sur le tas du lion et garda pour lui une minuscule partie seulement du butin.
"Toi, tu as compris. Qui donc t'a enseigné à faire si bien les partages ?"

"As-tu déjà oublié l'âne et ce qui lui est arrivé il y a quelques instants ?",
fut la réponse du renard astucieux.

LE HERON, LES POISSONS ET L'ECREVISSE

Un héron qui vivait près d'un étang était désormais vieux. Il n'avait plus la volonté de courir pour pêcher les poissons et ainsi, ses forces l'abandonnaient tous les jours un peu plus. Seule la faim se faisait sentir avec persistance et, pour cette raison, il décida de remédier à sa faiblesse par la ruse.

Ainsi, il dit aux poissons :

"Mes amis, un terrible malheur s'abattra sur vous : on m'a dit que quelques hommes vont assécher l'étang pour vous prendre tous d'un coup. Je sais que derrière cette montagne, il y a un étang, petit, mais agréable ! Il suffirait qu'on vous porte là-bas et vous y seriez tous en sécurité. Si je n'étais pas aussi vieux et faible, je vous aiderais sûrement !"

Les poissons, terrorisés par cette triste nouvelle, supplièrent le héron de les porter à l'abri, loin dans la montagne.

"J'ai pitié de vous, je suis votre ami, et je ne vous abandonnerai pas dans le danger. Je ferai un effort et vous porterai à cet étang dont je vous ai parlé. Mais un seul à la fois, pas tous ensemble".

Les poissons exultèrent
à ces mots et chacun désirait
être pris le premier :
"Prends-moi, prends-moi !",
supplièrent-ils en chœur.
Et le héron, à ce moment, mit son terrible
plan à exécution. Il prit un poisson à la fois,
le porta loin dans la montagne, le laissa tomber dans
un champ et le mangea pour apaiser sa faim. Mais une
vieille écrevisse qui habitait près de l'étang et assistait à tout
ce remue-ménage, éprouvait des doutes sur l'honnêteté du
héron. Elle voulut y voir plus clair.
"Porte-moi aussi, je t'en prie, dans cette nouvelle vallée".
Le héron alors prit avec lui le petit crustacé et le porta au-
dessus du champ. Mais, quand il s'apprêta à le laisser tomber,
l'écrevisse, qui avait vu par terre les déchets des poissons
dévorés, serra si fort le cou du héron qu'il l'étrangla.
Puis il retourna à l'étang et raconta aux poissons qui restaient,
la fourberie du héron malhonnête.

LE LION, L'OURS
ET LE RENARD

Un lion et un ours avaient trouvé un beau morceau de viande mais, ne réussissant pas à se mettre d'accord sur le partage de leur butin, ils commencèrent à se disputer. Leur dispute fut si violente qu'à la fin, les deux tombèrent à terre, sans force.

Un malin renard qui avait suivi la scène sans être vu, sortit de sa cachette, attrapa furtivement le morceau et s'enfuit en le dévorant.

LE LOUP ET LA VIEILLE

Un loup affamé rôdait de plus en plus près des villages,
à la recherche de quelque nourriture.

Un jour, arrivant aux premières maisons d'un bourg, il entendit
des pleurs d'enfant et une voix de vieille femme, qui disait :
"Si tu n'arrêtes pas de pleurer tout de suite, je te ferai
immédiatement manger par le loup !"

L'animal ne demandait pas mieux, et il s'assit pour attendre
patiemment l'enfant afin de le manger.

La nuit arriva, et le loup entendit la même voix qui dit :
"Ne pleure pas, mon trésor. Le loup ne te mangera pas,
ou alors, il verra de quel bois je me chauffe".

"Bon sang ! C'est sans doute un village de menteurs, car on
n'y tient pas la parole qu'on a donnée", grommela le loup.

Tout aussi affamé et de plus,
transi de froid, il quitta
cet endroit sans s'y arrêter
une minute de plus.

LES LIEVRES ET LES GRENOUILLES

Un jour, les lièvres tinrent conseil et se lamentèrent sur leur vie. "Les hommes, les chiens, les aigles et toutes les bêtes féroces sont notre ruine et notre terreur. Notre vie ne sera-t-elle donc jamais calme ? Il vaudrait mieux y mettre fin pour toujours, plutôt que de vivre dans la peur. Allons, les amis, allons tous nous noyer". Ils se dirigèrent en masse vers le lac où ils avaient décidé de mettre un terme à cette existence misérable.

En les entendant approcher, les grenouilles, qui étaient tapies dans la boue au milieu des herbes de la rive, se jetèrent à l'eau, plus mortes que vives, épouvantées. Cette scène fit réfléchir le lièvre le plus sage qui, se retournant vers ses compagnons, leur dit : "Arrêtez ! Attendez ! Je ne suis plus certain que notre vie est la plus misérable de toutes. Celle des grenouilles, par exemple, doit l'être plus encore, puisqu'elles ont peur de tout, y compris de nous".

MIGNOLINA

Il était une fois un couple qui désirait avoir une fille.
Après plusieurs années, leur vœu se réalisa :
ils eurent une petite fille merveilleuse et si douce,
mais pas plus grande qu'un petit doigt.

Ils lui offrirent pour lit une coquille de noix laquée,
les couvertures étaient des pétales de rose.
La journée, la petite fille jouait sur la grande table
près de la fenêtre où se trouvait une assiette
remplie d'eau et entourée de fleurs.
Assise sur une feuille, Mignolina ramait.

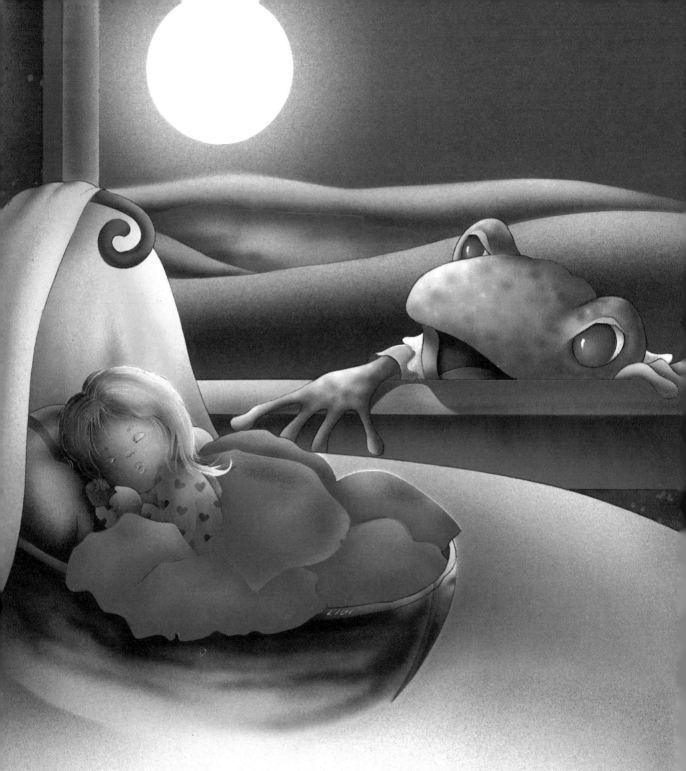

Une nuit de printemps, une horrible grenouille passa
par la fenêtre qui était ouverte, et vit la petite fille qui
dormait profondément dans son petit lit.
Elle pensa alors :
« Elle serait une belle épouse pour mon fils. »

Imaginez la frayeur de Mignolina quand
elle se réveilla au milieu d'une mare en face
d'un vilain crapaud qui la regardait.
La grenouille leur apporta le petit déjeuner et dit :
- Aujourd'hui tu épouseras mon fils et vous vivrez
heureux comme des rois, dans la mare.

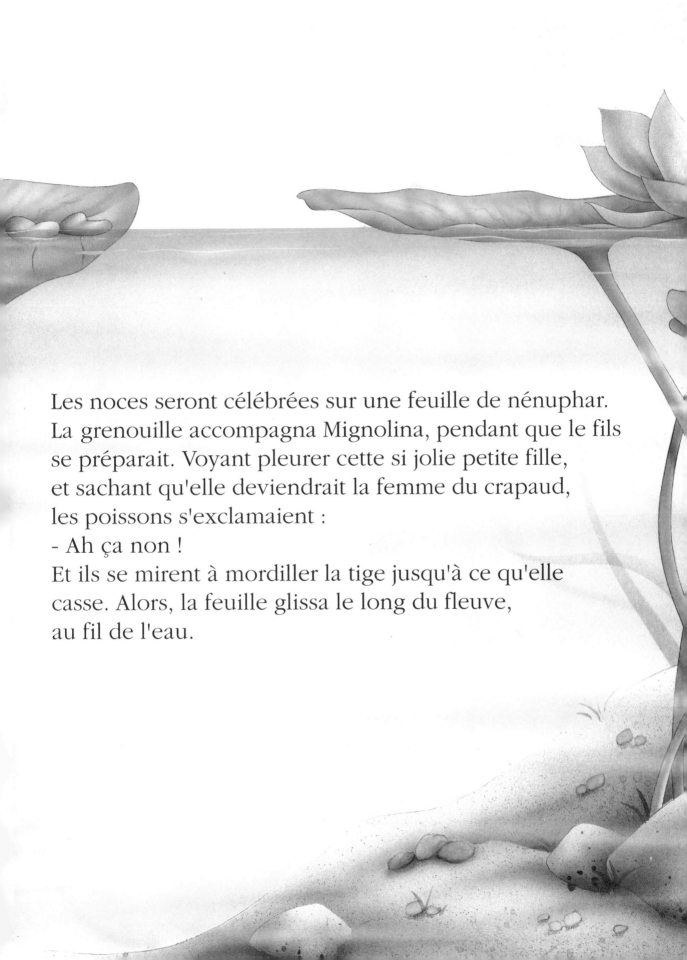

Les noces seront célébrées sur une feuille de nénuphar.
La grenouille accompagna Mignolina, pendant que le fils
se préparait. Voyant pleurer cette si jolie petite fille,
et sachant qu'elle deviendrait la femme du crapaud,
les poissons s'exclamaient :
- Ah ça non !
Et ils se mirent à mordiller la tige jusqu'à ce qu'elle
casse. Alors, la feuille glissa le long du fleuve,
au fil de l'eau.

Mignolina était heureuse, tout était si merveilleux
autour d'elle : le soleil brillait, l'eau paraissait être
recouverte de paillettes d'or.
Pendant qu'elle naviguait, un hanneton la vit et en
tomba tout de suite amoureux. Il s'approcha de plus
en plus, la prit par la taille avec ses pattes et l'emmena.
En voyant cette petite fille, les autres hannetons
se mirent à rire :
- Elle est vraiment laide ! s'exclamèrent-ils.
Elle ne crie pas comme nous ! elle n'a pas d'antennes !
elle a seulement deux jambes : on dirait presque un être
humain.

Alors le hanneton n'en voulut plus,
il la posa sur l'herbe et s'en alla.

Mignolina était triste car tout le monde l'abandonnait.
Elle marcha, marcha jusqu'à ce qu'elle aperçoive
une maison de taupe. Elle frappa à la porte et
demanda à manger.
La taupe hébergea Mignolina, mais en échange,
elle devait nettoyer la maison tous les jours.

Mignolina passa son été à travailler durement
pour la taupe.
Un beau matin d'automne une hirondelle dit à
Mignolina :
- Je vais bientôt partir pour les pays chauds,
veux-tu venir avec moi ?
Mignolina accepta avec joie, elle s'installa sur son dos,
s'agrippa à une de ses plumes et s'envola avec elle.

Après des heures et des heures de voyage, elles rejoignirent un endroit merveilleux où poussaient des fleurs belles et rares. L'hirondelle déposa Mignolina sur un pétale d'une fleur rose.

Avec stupéfaction, la petite fille découvrit dans la fleur, un jeune prince aussi grand qu'elle.

Il avait deux ailes qui brillaient et portait une couronne d'or sur la tête. Dans chaque fleur vivait un génie qui lui ressemblait, mais lui, était leur roi.

A peine vit-il Mignolina que le prince déposa une couronne d'or sur sa tête. Pendant ce temps, tous les petits génies volèrent autour d'eux et attachèrent les plus belles ailes au dos de la petite fille. Ensuite le prince lui demanda de l'épouser.
Mignolina et le prince vécurent heureux durant des années.

LE LIEVRE ET
LE HERISSON

Un beau matin ensoleillé :
les abeilles voletaient joyeusement
de fleur en fleur, les cigales chantaient
à tue-tête, les papillons s'amusaient à
faire des courses. Le vainqueur était celui
qui volerait le plus haut.
Le hérisson de bonne humeur, décida de
faire une promenade.

Après quelques pas, il rencontra le lièvre, qui lui aussi était sorti pour prendre le soleil. Le hérisson le salua gentiment. Mais le lièvre, qui se donnait des airs, le regarda à peine. Le hérisson demanda poliment :
- Comment vas-tu ?
Le lièvre répondit d'un air moqueur :
- Beaucoup mieux que toi, avec tes jambes ridicules.

Le hérisson qui n'acceptait pas qu'on se moque
de ses jambes, se fâcha sérieusement. Il décida
alors de se venger.

- On parie que mes jambes courent plus vite que les
tiennes, dit-il ?

- Bien sûr, on va parier 10 pièces d'or !
dit en riant le lièvre, qui était sûr de vaincre.

Le hérisson retourna à la maison appela sa femme et lui dit :
- Nous devons donner une bonne leçon à ce prétentieux de lièvre qui se moque tout le temps de moi.

- Mais comment allons-nous faire ? demanda
anxieusement la femme.
- Ne t'inquiète pas, je vais t'expliquer ça tout de suite,
viens avec moi.

Ils rejoignirent le terrain de la course : c'était un grand terrain avec deux chemins parallèles. Le lièvre devrait courir sur le chemin de droite et le hérisson sur celui de gauche.

- Toi, tu dois juste te mettre ici, dit le hérisson à sa femme, après l'avoir conduite à l'extrémité du chemin.

Quand tu verras arriver le lièvre, tu crieras : « Je suis déjà là ! » Toi et moi sommes identiques et le lièvre croira que c'est moi.

Le hérisson alla au départ de la course, car le lièvre arrivait.

Ils se mirent en place, chacun sur son chemin. Le lièvre compta :

« 1, 2, 3 partez. »

Il partit à toute vitesse, comme un éclair.

Le hérisson fit quelques pas et ensuite s'allongea tranquillement.

Quand le lièvre tout essoufflé atteignit l'arrivée, la
femme du hérisson cria :
« Je suis déjà là ! »
Stupéfait, le lièvre dit :
- Courons encore une fois !
Il fit demi-tour et repartit encore plus vite.

Le lièvre et le hérisson effectuèrent leur deuxième course. Lorsque le lièvre franchit la ligne d'arrivée, le hérisson cria une nouvelle fois :
« Je suis déjà là ! »

Le lièvre était en rage, mais il dut reconnaître que le hérisson avait gagné.

Il alla chercher les 10 pièces d'or et les donna au hérisson. Il lui présenta ses excuses, pour ne pas avoir cru à la force de ses jambes.

Depuis, quand ils se rencontrent, le lièvre salue toujours poliment le hérisson, sans se moquer de ses jambes tordues.

La conclusion de cette histoire est qu'il est plus important d'être agile de la tête que des jambes.

LE POISSON D'OR

Il était une fois un pauvre pêcheur qui vivait avec sa femme dans une vieille baraque.
Lui passait ses journées en mer ; elle nettoyait la maison, lavait leurs quelques habits dans une cuve cassée.

Un jour, la canne à pêche à la main, le pêcheur regardait la mer, lisse comme de l'huile.

Tout à coup, la canne à pêche bascula et le pêcheur la souleva rapidement. Surpris, il s'aperçut qu'il venait de pêcher un petit poisson d'or. Il était encore plus étonné, quand le poisson lui dit :

- S'il te plaît, rejette-moi à la mer ! Si tu le fais, je te promets d'exaucer un de tes vœux.

Le pêcheur dit :

- Bien sûr que je vais te rendre ta liberté.

De retour à la maison, il raconta à sa femme ce qui lui était arrivé.

- Pourquoi n'as-tu rien demandé en échange de la liberté ? demanda sa femme.

- Qu'est-ce-que j'aurais dû demander ? répondit-il.

- Au moins une nouvelle cuve, puisque celle-ci est vieille et cassée.

Le pêcheur retourna au bord de la rive et appela le poisson d'or. Celui-ci émergea de l'eau.

- Petit poisson, je t'en supplie, donne-moi une nouvelle cuve pour ma femme, sinon elle sera toujours fâchée contre moi.

- Retourne tranquillement chez toi, elle l'a déjà cette cuve, répondit le petit poisson.

Le pêcheur retourna à la cabane et trouva sa femme
souriante en train de tenir une nouvelle cuve.
Après quelques heures, la femme du pêcheur,
capricieuse, n'était toujours pas contente, ni satisfaite.

- J'en ai assez de vivre dans cette cabane misérable !
s'exclama-t-elle. Pourquoi n'irais-tu pas voir le petit
poisson d'or pour lui demander qu'il te donne une
maison, une vraie pour nous ?
- Et pourquoi devrait-il nous la donner ? dit le pêcheur.
- Toi, tu lui as redonné sa liberté et lui te donnera une
maison.
Le pêcheur retourna au bord de la rive et appela le
poisson.
- Je t'en supplie, donne-moi une vraie maison, pour ma
femme, sinon elle me méprisera pour toujours, dit-il.
- Retourne chez toi tranquillement, elle l'a déjà sa
maison, dit le petit poisson.

Le pêcheur retourna à la cabane, mais elle n'existait plus.

Une belle petite maison de pierre se trouvait à la place.
A l'intérieur, la femme du pêcheur l'attendait, souriante.
- Cette maison te plaît ? demanda-t-il.
- Oui, mais un palais serait beaucoup plus joli ; tu ne crois pas ?

Le pêcheur pensait qu'elle plaisantait, mais il s'aperçut que non, car elle insistait pour qu'il aille voir à nouveau le poisson d'or.
- Je veux un palais avec des majordomes et des serviteurs et je veux être Duchesse ! répétait-elle.

Finalement, le pêcheur craqua et retourna chez le petit poisson d'or pour lui demander qu'il satisfasse les désirs de sa femme.
- Retourne chez toi, elle l'a déjà son palais et elle est Duchesse.

Le pêcheur repartit à la maison, mais à la place de la maison se trouvait un magnifique palais.

Sa femme alla à sa rencontre : elle était tellement élégante et couverte de bijoux, que le pêcheur eut du mal à la reconnaître. Mais elle n'était toujours pas contente.

- Regarde toutes ces merveilleuses tenues autour de nous, s'exclama-t-elle.

- Je veux être reine et commander toutes les villes et villages.

De nouveau le pêcheur retourna au bord de la mer et appela le petit poisson d'or. Sur ces paroles, le poisson ne répondit plus, on le vit juste s'engloutir, d'un coup de queue.

Le pêcheur, après avoir
rappelé plusieurs fois le
petit poisson d'or, sans
succès, retourna chez sa
femme.
Il la trouva assise dans la
baraque, près de la vieille
cuve.

LES NOUVEAUX VETEMENTS DE L'EMPEREUR

Il était une fois un Empereur très vaniteux qui passait ses journées à essayer des vêtements devant le miroir. Il possédait un habit pour chaque heure de la journée. Quiconque le cherchait, entendait répondre :
« Sa Majesté est dans la chambre. »

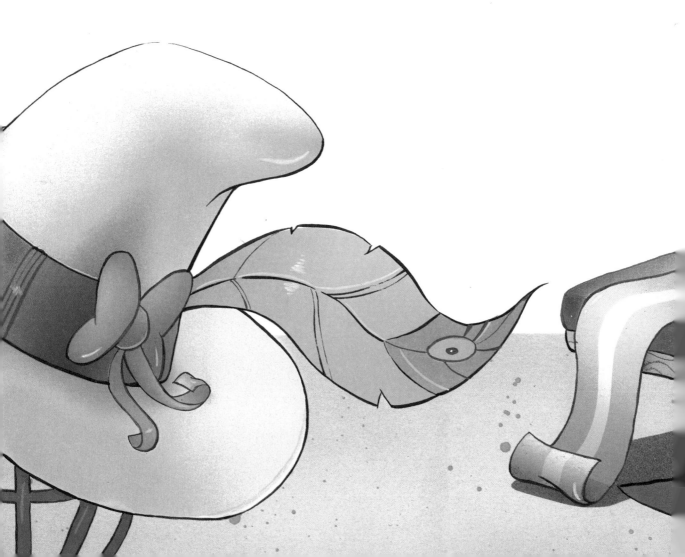

Un jour, deux étrangers
qui affirmaient être
tisseurs, arrivèrent
dans la ville, où
habitait l'Empereur.

Il parait qu'ils savaient coudre un tissu magnifique et magique.
En réalité, ce n'était que des menteurs. Les deux individus
présentèrent leurs arts à la cour de manière solennelle en
disant :
- Seules les personnes intelligentes peuvent voir nos tissus !
Intrigué, l'Empereur ordonna qu'on lui fasse un habit de
cérémonie de ce tissu miraculeux.

Une chambre où se trouvaient des bobines de fil, des aiguilles, du tissu, était à disposition des deux menteurs. Ils faisaient semblant de coudre pendant des jours et des jours.

L'Empereur était tellement curieux de savoir où ils en étaient avec le tissu, qu'il envoya son vieux ministre. Le bon ministre fit un tour dans la pièce, mais ne vit rien, car il n'y avait rien à voir. Il pensa qu'il n'était sûrement pas assez intelligent. Et quand les deux tisseurs demandaient ce qu'il en pensait, il leur dit :

- Joli, très joli!

Ensuite le ministre alla chez l'Empereur qui lui demanda :
- Comment est le tissu ?
- Beau, magnifique, répondit le ministre.

Les deux tisseurs demandaient chaque jour des pierres précieuses, du fil en or. Ils disaient qu'ils en avaient besoin pour confectionner l'habit.

Même l'Empereur allait chez eux. Il ne voyait pas de tissu, mais il disait :

- Magnifique ce tissu !

Mais malgré lui il pensait :

« Serait-il possible que je sois stupide ? Je ne vois vraiment rien ! Même pas une ombre de fil ! »

Un matin, les deux menteurs annoncèrent
que le vêtement était près.
Ils entrèrent tous les deux dans la chambre
de l'Empereur, avec soi-disant le vêtement
au bras et l'aidèrent à s'habiller.
L'Empereur, toujours embarrassé, car il ne
voyait rien, se laissa aider.

- Attention Majesté ! disait l'un des deux menteurs. Si vous tirez aussi fort sur la manche, vous allez déchirer la dentelle de la manchette. Pourriez-vous boutonner votre pantalon ? mais attention, sans salir la soie des boutons, disait l'autre. L'Empereur s'excusait, il écoutait les conseils des deux "couturiers", mais au fond de lui-même, il souhaitait que personne ne s'aperçoive qu'en réalité il ne voyait rien.

Ensuite les deux menteurs s'enfuirent du Palais Impérial, en emportant tout l'or et les rouleaux de tissu que l'Empereur avait donnés pour préparer le vêtement.

Mais avant de s'enfuir, les deux menteurs recommandèrent aux serviteurs :
- Quand l'Empereur décidera de sortir et de se présenter au peuple, dites lui bien de faire attention de ne pas se salir !

Suivi par les dignitaires de la cour, l'Empereur s'avança vers la foule. Les serviteurs faisaient semblant de voir les beaux vêtements de l'Empereur. Tous le complimentaient, mais parmi la foule se trouvait un enfant qui dit :

- Ne voyez vous donc pas qu'il n'a rien sur le dos ?

- Chut ! s'exclama le père de cet enfant ; et tout le monde se mit à chuchoter.

L'Empereur réalisant qu'il n'avait effectivement pas de
vêtement sur lui, décida de conduire le cortège jusqu'à
la fin.

LES TROIS
PETITS COCHONS

Il était une fois trois petits cochons qui, devenus grands,
décidèrent de quitter la ferme pour partir vivre seuls.
Ils embrassèrent leur maman et s'enfoncèrent dans la
forêt à la recherche d'un endroit où chacun construirait
sa propre maisonnette.

Le premier petit cochon était toujours gai et heureux, mais il était très paresseux ! Il préférait danser et chanter plutôt que travailler.

Il décida donc de construire une maison qui, si elle n'était naturellement pas très solide, avait l'avantage, selon lui, d'être plus facile à construire et peu coûteuse.

A peine eut-il fini de la construire qu'il se mit à danser et à jouer de sa flûte ; puis il alla voir ce que faisaient ses frères. Il suivit le chemin qui passait devant sa maison et arriva chez le deuxième petit cochon.

Celui-ci était justement aux prises avec une scie et un marteau : il était en train de construire une maisonnette en bois, presque aussi fragile et légère que celle en paille, sans se donner du mal à la consolider. A peine fut-elle construite qu'il prit son violon et joua en duo avec son frère.

Ensuite, les deux petits cochons allèrent chez le troisième frère, qu'ils trouvèrent occupé à construire une maison en briques.

- Viens jouer avec nous ! dirent ses deux frères.

Le troisième petit cochon, pourtant, continua à superposer les briques avec soin : il voulait une maison très solide.

Ses frères se moquaient de lui ; ils disaient :

- Regarde comme il est bête ! Il préfère travailler alors qu'il pourrait jouer !

Mais le sage petit cochon les réprimanda :

- Vous préférez perdre votre temps à jouer et danser ; vous verrez, mes chers, quand le loup viendra ! Il ne pourra rien contre moi !

Les deux fanfarons, ne tenant pas compte de cette mise en garde, s'en allèrent en riant et en chantonnant.

Leurs chants joyeux traversaient les bois. Ils arrivèrent aux oreilles du grand loup, qui rôdait aux alentours, à la recherche d'un bon repas.

Le loup s'arrêta et tendit l'oreille ; puis, se faufilant d'arbre en arbre, il arriva tout près des deux petits cochons et se mit à les observer tout en se léchant les babines :

« Comme ils sont beaux et gras ! », pensa-t-il.. « Qui sait combien de repas je pourrai faire ! »

Pendant ce temps, les deux malheureux, ignorant la présence du loup, dansaient et chantaient allègrement :

« Qui a peur du grand méchant loup ?
Qu'il se méfie !
Tra la la, Tra la laire
Nous prendrons un bâton
Et lui donnerons des
coups tant et plus ! »

Comme leur danse se terminait, ils aperçurent ce loup féroce. Ils en restèrent muets de stupeur et commencèrent à trembler. Malgré leur grande peur, ils coururent à en perdre haleine vers leurs maisons, qui, pourtant, étaient peu sûres.

Le premier petit cochon se précipita dans sa maisonnette
de paille ; il prit encore le temps de retirer le paillasson
et de fermer la porte au nez du loup, qui était furieux.
- Laisse-moi entrer, laisse-moi entrer ! criait le loup qui
tambourinait contre la porte.

- Jamais de la vie ! répondit le petit cochon, qui avait très peur.
- Alors, hurla le loup, je soufflerai et soufflerai jusqu'à ce
que ta maison vole dans les airs !
En entendant cette menace, le pauvre petit cochon
regretta de ne pas avoir écouté les recommandations
de son frère prudent, qui l'avait incité à construire une
maison plus solide. Maintenant, il était trop tard !
Le loup inspira profondément, puis commença à souffler.
Alors, quelques brins de paille s'envolèrent.
De nouveau, il souffla, jusqu'à ce que toute la paille
se soit envolée.

Le loup voulut empoigner le petit cochon, mais, heureusement, celui-ci réussit à s'échapper et courut à en perdre haleine jusqu'à ce qu'il arrive à la maison en bois de son frère. Essoufflé, il cria :

- Au secours ! Le loup me poursuit, ouvre-moi ta porte, vite ! Et il réussit à se mettre à l'abri.

- Malédiction ! s'exclama le loup, alors que les deux petits cochons s'adossaient à la porte, tremblant de peur.

Le loup, fatigué de courir et de souffler, décida d'entrer dans la maison par ruse. C'est pourquoi il se mit à crier :
- C'est bon, vous êtes trop malins pour moi ! Je m'en vais !
Et, joignant le geste à la parole, le loup fit croire qu'il s'en allait, alors qu'au contraire, il se cachait derrière un buisson.
Les deux petits cochons attendirent un instant, et quand ils crurent que le loup ne se manifesterait plus, ils s'exclamèrent :
- Qui a peur du grand méchant loup ?
Mais tout à coup, ils entendirent frapper à la porte :
- Toc... Toc...

- Qui est là ? demandèrent les deux petits cochons.
Le loup, recouvert d'une peau d'agneau, répondit d'une voix plaintive :
- Je suis un pauvre agneau perdu qui cherche un lit pour passer la nuit. Laissez-moi entrer, je vous en prie !
Un petit cochon, regardant par la fenêtre, entrevit la gueule et la grosse queue du loup, dissimulées sous la peau d'agneau.
Ayant découvert la supercherie, il répondit :
- Tu es le loup, et tu veux nous manger ! Nous ne t'ouvrirons jamais de la vie !
- Alors, je vais souffler, jusqu'à ce que votre maison s'envole ! hurla le loup, furieux. Puis, sans plus attendre, il inspira profondément et souffla avec une telle violence que la maisonnette en bois s'écroula en mille morceaux.
Les deux petits cochons désespérés coururent alors se réfugier chez leur frère en l'implorant :

- Vite, notre frère, laisse-nous entrer ! Le loup a détruit
nos maisons.
Et ils se précipitèrent dans la maison de briques et se
cachèrent sous le lit.
Le troisième petit cochon, après avoir poussé le verrou
de la porte, les gronda :
- Je vous avais pourtant bien dit que vos maisons
n'étaient pas assez solides ! et il ajouta :
- Il était temps que vous vous mettiez en lieu sûr ; le
loup ne peut rien contre de la chaux et des briques !
Et, tout en parlant, il s'assit au piano et commença à
jouer très fort. Ses frères, rassurés, sortirent alors de leur
cachette et se mirent à chanter et à danser !

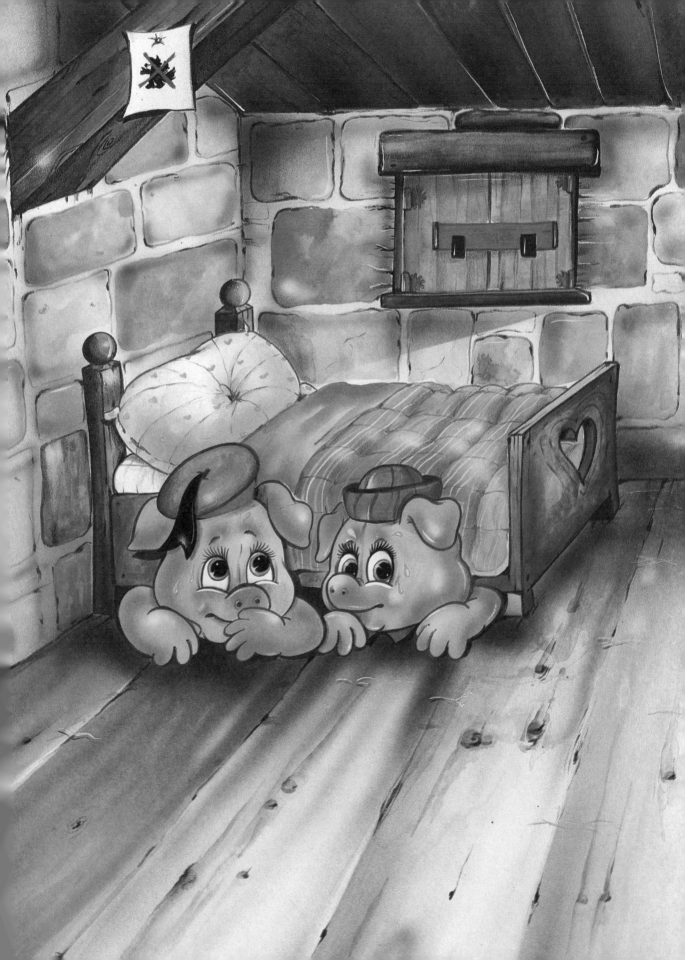

Là dessus, ils entendirent frapper à la porte :
- Toc... Toc...
C'était le loup, déguisé en marchand ambulant.
- Qui est là ? demanda le petit cochon malin, alors que ses frères retournaient se cacher sous le lit.

La réponse fut prononcée par une voix caverneuse :
- Je suis un marchand qui vend des brosses, des bijoux et des dentelles.

Le petit cochon ouvrit légèrement la porte avec mille précautions, ne réalisant qu'une petite fente. Il saisit une des brosses que le loup lui présentait, et l'en frappa sans aucune pitié.

Le loup hurla de douleur, fit un saut en arrière et se libéra de son déguisement. Ses yeux lançaient des éclairs de colère et il criait :

- Si vous ne voulez pas ouvrir, je soufflerai sur votre maison jusqu'à ce qu'elle s'écroule !

Et le loup souffla et souffla à en devenir tout bleu ; mais la maison de briques résista.

Les trois petits cochons pouvaient rester à l'intérieur sans craindre quoi que ce soit ; alors, ils chantèrent et dansèrent, le cœur léger.

Mais le grand loup avait faim, il était furibond. Il décida de ne pas laisser échapper de si bons repas. En regardant la fumée qui sortait de la maison, il lui vint une idée : il grimperait sur le toit et descendrait par la cheminée.

Sans attendre, il prit une longue échelle et la posa contre le toit. Cherchant à ne pas faire de bruit, il commença à grimper, tout doucement, en pensant :

« Cette fois, ils ne m'échapperont pas. Je tomberai sur eux comme un aigle. »

Mais les petits cochons s'étaient enfermés dans la maisonnette. Ils restèrent sur le qui-vive. A peine virent-ils que la suie tombait de la cheminée, qu'ils comprirent la ruse du loup. Alors ils préparèrent un grand feu pour faire bouillir l'eau d'une grosse marmite. Le petit cochon

malin se précipita vers le foyer et enleva le couvercle... Le loup glissa et tomba dans la marmite d'eau bouillante. Il poussa un hurlement de douleur. Des éclaboussures, provoquées par sa chute brutale, giclèrent à travers toute la pièce.

Il sauta du toit, se mit à courir vers la forêt dans laquelle il disparut. On ne le revit plus jamais. Les petits cochons, sains et saufs, ne voulurent plus se quitter et recommencèrent à jouer et à chanter...

LE BRIQUET MAGIQUE

La guerre terminée, un soldat s'en retournait à la maison.
Il traversait une forêt en sifflotant... Tout à coup, il se
trouva nez à nez avec une vieille femme qui l'arrêta et
lui dit :

- Bonjour, beau soldat ! Veux-tu devenir riche ?

- Certainement ! répondit le jeune homme.

- Vois-tu cet arbre ? dit la femme, qui, en réalité était une
sorcière ; elle lui indiquait un très grand arbre au bord
de la route. Il est entièrement creux.

Si tu grimpes jusqu'à sa cime, tu verras que son tronc est
percé. Le trou que tu découvriras te permettra de te
glisser à l'intérieur et de descendre jusqu'au fond. Moi, je
tiendrai un bout de corde ; toi, tu tiendras l'autre
extrémité ; ainsi je pourrai te tirer de là lorsque tu
m'appelleras.
- Et que devrais-je faire dans l'arbre ? demanda le soldat.

- Prendre de l'argent ! répondit la vieille femme ; puis elle ajouta : quand tu seras tout au fond de l'arbre, tu te trouveras dans un souterrain illuminé par plus de 100 lampes. Tu verras aussi trois portes que tu pourras ouvrir. Chacune d'elles communique avec une pièce. Dans la première, se trouve une malle, sur laquelle est couché un chien qui a des yeux grands... comme des soucoupes ; mais ne crains rien : quand tu seras dans la pièce, montre-lui mon tablier à carreaux, et il se couchera sans te faire aucun mal. Puis tu ouvriras la malle, qui est pleine de pièces de cuivre et tu pourras en prendre autant que tu le souhaites, autant que tu en verras. Si tu préfères des pièces d'argent, tu devras entrer dans la deuxième pièce. Là, tu trouveras un chien avec des yeux aussi grands que des meules de moulin. Lui aussi se mettra sur le tablier que tu étendras par terre, alors tu pourras prendre toutes les pièces que tu voudras.

Si toutefois, tu préfères l'or, tu devras entrer dans la troisième pièce, où un chien aux yeux énormes, comme des donjons, sera étendu sur la malle.

Le chien, doux comme un agneau, se couchera sur mon tablier, et ensuite, tu pourras prendre tout l'or que tu es capable de porter !

- L'idée ne me déplaît pas ! s'exclama le soldat, et il ajouta : mais que dois-je te donner en échange ?

- Oh, presque rien ! Il suffira que tu me rapportes un vieux briquet, que ma grand-mère a oublié là-bas la dernière fois qu'elle y était descendue.

- D'accord, dit le soldat. Donne-moi la corde et le tablier.

Le jeune homme grimpa avec agilité au sommet de
l'arbre où il découvrit l'entrée du trou. Il s'y glissa et
constata que le tronc était entièrement creux. Puis il
pénétra dans un souterrain, où, comme l'avait affirmé la
sorcière, brûlaient plus de 100 lampes et sur lequel
s'ouvraient trois portes.

Il ouvrit la première porte et entra. Au milieu de la pièce se trouvait une malle sur laquelle se tenait un chien qui le fixait de ses yeux grands comme des soucoupes ; mais le soldat ne se laissa pas intimider. Il jeta le tablier par terre et le chien vint s'y coucher ; puis il ouvrit la malle, se remplit les poches de pièces de cuivre, referma la malle et le chien reprit sa place.

Le soldat se rendit dans la seconde pièce. Là, se trouvait un chien dont les yeux étaient grands comme des meules de moulin.

« Pourquoi m'inquiéter ? » se dit le soldat. Le chien monta sur le tablier, comme l'avait fait le premier.

Quand il vit tout l'argent contenu dans la malle, le jeune homme jeta les pièces de cuivre et remplit ses poches de pièces d'argent. Enfin, il passa dans la troisième pièce où l'attendait un chien qui faisait rouler ses deux yeux grands comme des tours de donjon !

Le soldat, qui n'avait encore jamais vu de bête semblable, en avait grand peur, mais à peine eut-il posé le tablier à terre que l'animal s'y coucha docilement.

Le soldat ouvrit la malle et... elle contenait tant d'or !

Il se voyait déjà, achetant toutes les douceurs et les plaisirs qu'il avait toujours convoités, et tout ce que sa ville, Copenhague, pouvait lui offrir.

Il jeta à nouveau les pièces d'argent dont ses poches étaient remplies et prit tant d'or qu'il ne pouvait presque plus marcher. Maintenant, il était très riche !

Il fit remonter le chien sur son coffre-fort, sortit de la pièce, ferma la porte, traversa le trou pratiqué dans le tronc d'arbre et cria :

- Femme ! à présent, tu peux me remonter !

- As-tu le briquet ? demanda-t-elle.

- Tu verras bien lorsque tu m'auras sorti de là ! répondit-il ; et il s'apprêta à monter.

La sorcière tira sur la corde et remonta le soldat, qui
réapparut avec sa besace, ses poches, ses bottes et son
chapeau débordant de pièces d'or. Alors, elle dit :
- Donne-moi le briquet !
- A quoi cela te servirait-il ? demanda-t-il.
- Cela ne te regarde pas ! Tu as de l'argent, eh bien,
donne-moi le briquet !
- Si tu ne me dis pas pourquoi il te le faut, je te couperai
la tête avec mon épée ! et le soldat esquissa le geste de
tirer son arme.
La sorcière s'enfuit à toutes jambes.
Le jeune homme entassa son argent dans le tablier, le
chargea sur son épaule comme un fardeau, mit le
briquet dans sa poche, et se rendit en ville.

Il choisit de descendre à l'auberge la plus luxueuse de toutes, choisit la plus belle chambre et commanda un repas délicieux. Le serviteur qui cirait ses bottes et les faisait briller, lui fit remarquer qu'il les trouvait quelque peu vieilles et usées.

Le lendemain, il se procura donc de nouvelles bottes et de beaux vêtements, qui convenaient mieux à sa nouvelle position : il était devenu un seigneur distingué. Les gens lui parlèrent de toutes les merveilles de la ville et de la fille du Roi, la très belle Princesse.

- Où dois-je aller pour la voir ? demanda le soldat.

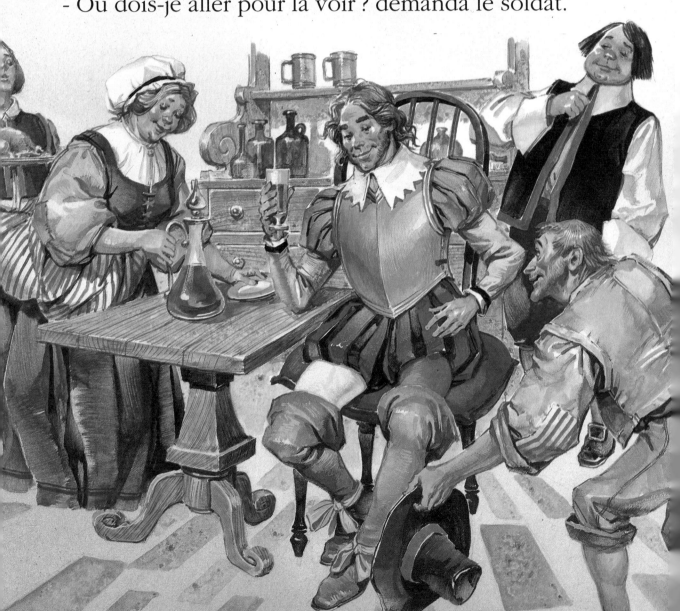

- Elle habite un château en cuivre entouré de murs.
Personne, excepté son père, ne peut lui rendre visite,
car il a été prédit qu'elle épouserait un simple soldat, ce
que le Roi n'admet pas ! lui répondit-on. Le soldat
désirait la voir, mais ce n'était pas possible.
Le temps passait sans encombre : un soir, il allait au
théâtre, un jour, il se rendit sur le passage du carrosse. Il
faisait aussi l'aumône aux pauvres, car il se souvenait
qu'il avait été pauvre et savait comme la vie était alors
difficile !
Maintenant qu'il était riche et élégant, il avait beaucoup
d'amis, qui le trouvaient sympathique et distingué ; il se
disait fort satisfait de cette situation.

Comme il dépensait tous les jours beaucoup d'argent,
mais n'en gagnait pas, il arriva un jour où il ne lui restait
plus que deux pièces d'or.

Un matin, il fut obligé de quitter sa belle chambre et
d'emménager dans une misérable chambrette au grenier.
N'ayant même plus d'argent pour s'acheter des bougies,
il se souvint alors du briquet qu'il avait pris dans le
souterrain de l'arbre. Il sortit le briquet, le frotta sur la
pierre à feu et, au moment où jaillit une étincelle, la
porte de la pièce s'ouvrit et il vit arriver le chien aux
yeux grands comme des soucoupes : c'était celui qu'il
avait vu dans le souterrain de l'arbre.

- Que désires-tu, mon maître ? demanda l'animal.

- Mais, que vois-je ! s'exclama le soldat, ahuri.

- Quelle belle surprise ! Grâce à ce briquet, je peux donc obtenir tout ce que je veux ! et, se tournant vers le chien, il dit :

- Apporte-moi quelques sous !

Le chien courut à toute vitesse, comme le vent, et, un peu plus tard, il revint, tenant entre ses dents un grand sac plein de pièces d'or.

Ainsi, le soldat avait découvert que le briquet était magique : il suffisait de l'actionner une seule fois pour qu'apparaisse le chien qui gardait la malle remplie de pièces de cuivre ; s'il l'actionnait deux fois, c'était le gardien des pièces d'argent qui volait à son secours, et trois coups appelaient le gardien des pièces d'or.

Le jeune homme put retourner dans la chambre luxueuse qu'il avait précédemment occupée.

Un jour, il pensa :

« C'est un péché de garder la Princesse enfermée dans un château de cuivre ! Et cela d'autant plus qu'elle est très belle ! Est-il vraiment impossible de la voir ? Peut-être devrais-je essayer avec le briquet ! »

Il battit la pierre à feu et, rapide comme l'éclair, arriva le chien aux yeux grands comme des soucoupes.

- Je voudrais voir la Princesse, même si ce n'est qu'une minute ! dit le soldat.

Le chien bondit brusquement vers la porte et, en un clin d'œil, il revint, avec la Princesse endormie sur son dos.

C'était une jeune fille très belle et le soldat ne put s'empêcher de lui donner un baiser. Puis le chien la ramena au château.

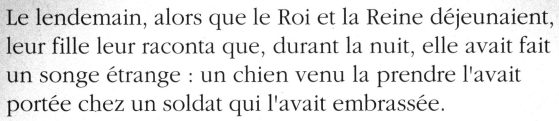

Le lendemain, alors que le Roi et la Reine déjeunaient, leur fille leur raconta que, durant la nuit, elle avait fait un songe étrange : un chien venu la prendre l'avait portée chez un soldat qui l'avait embrassée.

- Que c'est beau ! s'exclama la Reine.

Le soir même, une vieille dame de compagnie monta la garde près du lit de la Princesse pour voir s'il s'agissait réellement d'un songe.

Après
cette nuit, le
soldat eut à
nouveau envie de
voir la Princesse
et envoya donc
le chien la chercher
au plus vite ; mais la vieille dame avait enfilé une
paire de bottes et réussit à
suivre le chien jusqu'à la grande
maison où il était entré. La dame dessina
une croix sur la porte de la maison à l'aide d'un petit
bout de craie, puis retourna à la Cour pour se reposer.

Lorsque le chien sortit pour ramener la Princesse au château, il vit qu'il y avait une croix sur la porte. Il prit alors un morceau de craie et traça une croix sur toutes les portes de la ville.

Ce fut une excellente idée, car ainsi, la dame n'arriverait plus à retrouver le bon endroit.

Le lendemain, à l'aube, le Roi, la Reine et la vieille dame, accompagnés de tous les officiers, partirent pour savoir où la Princesse avait passé une partie de la nuit.

- C'est ici ! s'exclama le Roi quand il vit une porte marquée d'une croix.

- Mais non, mon cher époux ! dit la Reine en montrant une autre porte avec une croix.

- Mais il y en a une autre ici ! Et une autre là ! s'écrièrent tous les hommes qui voyaient des croix partout. Il était inutile de continuer à chercher !

La Reine, qui était pleine d'astuce, cousit un sachet en soie qu'elle remplit de farine et qu'elle posa sur le dos de sa fille. Quand elle eut fini, elle perça un trou dans le fond du sachet, de façon à ce que la farine puisse tomber le long de la route empruntée par la Princesse.

La nuit suivante, le chien revint prendre la Princesse, mais sans s'apercevoir que, pendant qu'il la transportait chez son maître, la farine tombait sur le parcours, jusque sous la fenêtre de la chambre du soldat.

Celui-ci, qui était amoureux de la jeune fille, regrettait de ne pas être prince et de ne pouvoir l'épouser.

Le lendemain matin, le Roi et la Reine suivirent la trace de la farine et arrivèrent ainsi à savoir où leur fille passait la nuit. Le soldat fut arrêté, mis en prison et condamné :

Le pauvre en était bien malheureux, d'autant plus qu'il avait oublié le briquet à l'auberge.

Le lendemain, à travers la petite fenêtre, il voyait les villageois qui accouraient pour assister à son supplice. Il entendit le roulement du tambour et les soldats qui marchaient.

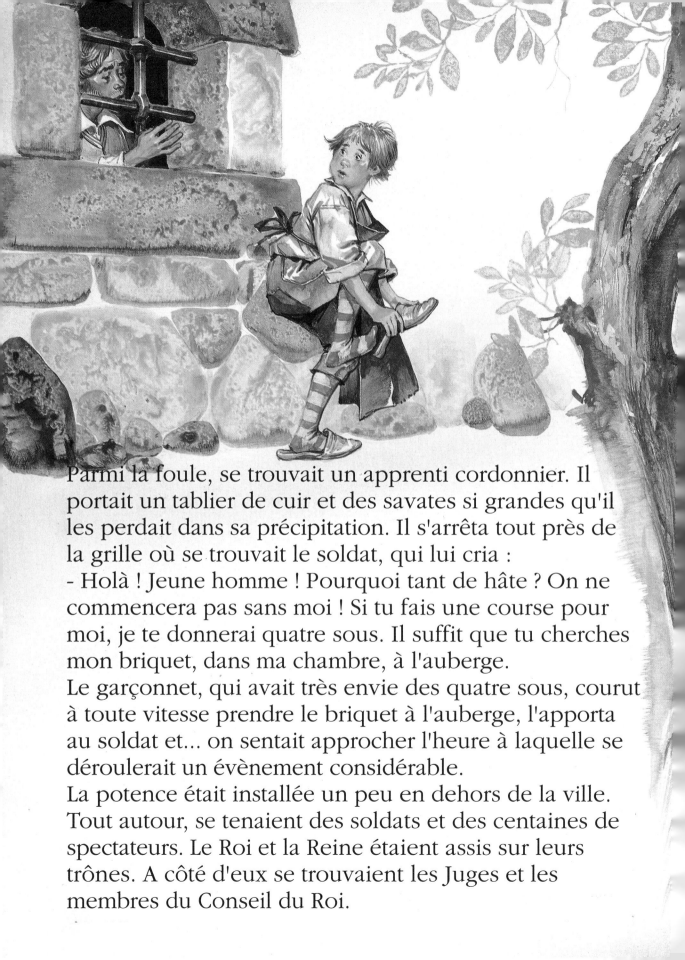

Parmi la foule, se trouvait un apprenti cordonnier. Il portait un tablier de cuir et des savates si grandes qu'il les perdait dans sa précipitation. Il s'arrêta tout près de la grille où se trouvait le soldat, qui lui cria :

- Holà ! Jeune homme ! Pourquoi tant de hâte ? On ne commencera pas sans moi ! Si tu fais une course pour moi, je te donnerai quatre sous. Il suffit que tu cherches mon briquet, dans ma chambre, à l'auberge.

Le garçonnet, qui avait très envie des quatre sous, courut à toute vitesse prendre le briquet à l'auberge, l'apporta au soldat et... on sentait approcher l'heure à laquelle se déroulerait un évènement considérable.

La potence était installée un peu en dehors de la ville. Tout autour, se tenaient des soldats et des centaines de spectateurs. Le Roi et la Reine étaient assis sur leurs trônes. A côté d'eux se trouvaient les Juges et les membres du Conseil du Roi.

Le soldat monta vers la potence et, comme le bourreau s'apprêtait à passer la corde autour du cou du condamné, il dit :
- Exaucez, comme le veut l'usage, le dernier vœu d'un pauvre condamné ! Accordez-moi de fumer une dernière pipe !
Le Roi lui accorda cette petite grâce. Le soldat prit alors son briquet et battit la pierre pour faire jaillir du feu : une, deux, trois fois. Et immédiatement apparurent les trois dogues.
- Aidez-moi, cria le soldat. Faites que l'on ne me pende point !
Les chiens se jetèrent sur les Juges, sur tout le Conseil, sur le Roi et sur la Reine.
Alors, les gardes et le peuple, effrayés, se mirent à crier :
- Notre cher soldat, épargne notre Roi et épouse notre belle Princesse !

Les soldats présentèrent les armes et le firent monter
dans le carrosse royal. Les chiens précédèrent le cortège
qui rejoignit le palais, et tous lancèrent des "Hourra !" et
"Vivas !" sur leur chemin.

La Princesse sortit du château de cuivre et épousa le
soldat.

Les festivités du mariage durèrent une semaine entière.
Les chiens étaient assis à la table des convives,
écarquillant et roulant leurs grands yeux...

LES MUSICIENS
DE BRÊME

Il était une fois un âne qui se faisait toujours battre par son patron et qui à force ne pouvait plus travailler.
Un beau jour il décida de s'enfuir. Il se rendit à Brême, où se réunissaient les musiciens de la fanfare citoyenne.

Tout au long de son chemin, il rencontra un chien abandonné par son patron et qui ne savait où aller.
- Pourquoi ne viendrais-tu pas avec moi ? lui suggéra l'âne. Je vais à Brême pour faire le musicien. Nous jouerons ensemble.
Le chien accepta avec enthousiasme et les deux êtres poursuivirent leur chemin.

Passant près d'un petit lac, ils rencontrèrent un chat tout mouillé et qui avait peur.

- Ma patronne voulait me noyer, car je n'arrive plus à chasser les souris ! dit le chat en tremblant.

L'âne et le chien racontèrent aussi ce qui leur était arrivé et proposèrent au chat de faire partie de la fanfare. Le chat accepta et les suivit.

A l'aube, ils arrivèrent près d'une ferme et aperçurent un coq qui annonçait le lever du jour en chantant :
« cocorico... »
Celui-ci expliqua qu'il passerait à la casserole et ensuite qu'il serait servi à table.
- Avec ta voix forte et claire, tu seras un excellent chanteur, dit l'âne en lui parlant de leur projet. Le coq réfléchit un instant, puis décida de les suivre vers Brême.

Ils marchèrent toute la journée sans trouver à manger.
La nuit allait tomber et les quatre amis commençaient à
être fatigués. Ils quittèrent la route principale pour aller
dans le bosquet où ils passèrent la nuit sous un arbre.

Epuisés par la fatigue et par la faim, tous s'endormirent, sauf le coq qui monta sur la branche d'un arbre, pour scruter l'horizon. De là-haut, il aperçut une petite lumière pas très loin. Alors subitement il réveilla ses amis.

- Il doit y avoir une petite maison là en bas ! s'exclama-t-il. Essayons d'y aller.

Ils se dirigèrent, avec espoir, vers la maisonnette.

Arrivés à la maisonnette, l'âne qui était le plus grand regarda discrètement à l'intérieur de la cabane.
- Que vois-tu ? demandèrent les autres.
- Il y a une table recouverte de chaque "bien de Dieu", répondit l'âne.
- Tout ce que nous voulons ? demanda le chien.
- Si seulement on pouvait entrer, mais il y a aussi quatre brigands, dit l'âne.

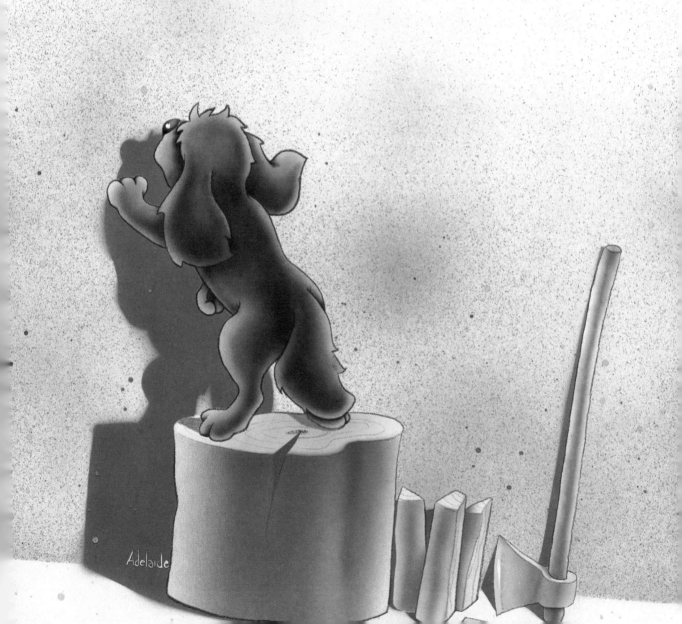

Au milieu de la pièce où étaient assis les brigands, se
trouvait une table recouverte de nourriture.
Ils avaient de redoutables têtes. Ils mangeaient, buvaient
et faisaient beaucoup de bruit.
Les musiciens mirent au point un plan : ils firent fuir les
brigands en les effrayant de leurs cris.

L'âne fit signe au chat de commencer à miauler, au chien d'aboyer et au coq de chanter. L'âne hennissait de toutes ses forces.

Ensuite le chien sauta sur le dos de l'âne, le chat sur le dos du chien et le coq sur celui du chat.

A ce moment là, les quatre brigands aperçurent une drôle d'ombre, ils pensaient que c'était un monstre qui venait les chercher pour les emmener. Terrorisés, ils prirent la fuite et partirent précipitamment de la maison, pour ne plus y revenir.

Les amis mangèrent toutes les délicieuses choses que les brigands avaient laissées sur la table. Ils découvrirent un trésor dans la cheminée sous la grille à braise.
Les animaux alors décidèrent de renoncer à leur projet pour Brême.
Ils vécurent heureux, tous ensemble, dans la maisonnette.

LE BON OGRE

Il était une fois un garçon qui s'appelait Martin et qui était si bête... que les gens qui le regardaient, riaient tout le temps.

Sa maman le grondait sans cesse pour les misères qu'il lui faisait.

Martin était vraiment incorrigible et donnait beaucoup de soucis à sa famille.

Un jour il en eut assez de se faire gronder ; il décida de s'en aller.
Il prit la route principale et partit à la recherche de la fortune.

Il marcha toute la journée. Le soir il vit une petite
maison et comme il était fatigué et affamé,
il décida de frapper à la porte et demanda si l'on pouvait
l'héberger.

C'était la maison de l'ogre. Malgré sa laideur,
il n'était pas méchant.
L'ogre trouva que Martin avait un visage très
sympathique et lui dit :
- Tu dois être un garçon très sympa.
J'ai justement besoin d'un serviteur.
Si tu veux, tu peux rester ici !
Martin accepta volontiers de travailler
chez l'ogre.

Un jour, après cinq ans passés auprès de l'ogre, Martin
eut une envie folle de revoir sa maman.

- Je sais que tu as la nostalgie de ta maison. Vas-y, lui dit
l'ogre, et emmène avec toi cet âne, mais surtout ne lui
dit jamais, sous aucun prétexte : « Hu ! hu ! »

Martin se dirigea vers la maison. Sa curiosité fut plus forte que sa promesse et il dit : « Hu ! hu ! »
L'âne déposa à ses pieds des diamants, des saphirs, des rubis et une énorme quantité de pièces d'or.
Quelle joie pour le garçon !

Martin, tout heureux, reprit le chemin et s'arrêta à une auberge, car il avait très faim.

Il conseilla au patron de l'auberge de ne jamais dire : « Hu ! hu ! », à son âne.

Mais le patron, qui était un gros malin, comprit que son âne était magique et décida de le garder. Quand Martin repartit, le patron de l'auberge lui donna un âne de son étable, qui ressemblait fortement à celui de l'ogre.

Arrivé à la maison, Martin courut vers sa maman et ils
s'embrassèrent.
Martin lui annonça :
- Nous sommes riches. Va chercher toutes les couvertures,
draps, serviettes et étends-les sur la pelouse.

Puis il commanda : « Hu ! hu ! »
L'âne ne fit rien. Impatient, Martin prit
un bâton : l'âne, effrayé, s'enfuit. En
déposant sur les draps... beehh, ce
qui n'était pas exactement des pierres
précieuses !
La maman était devenue furieuse
contre son fils. Alors, Martin retourna
chez l'ogre.
Il resta à son service pendant deux
ans. Ensuite il décida de retourner une
nouvelle fois chez lui.

Mais cette fois, l'ogre lui fit un don : une serviette de
table, avec la recommandation de ne jamais dire :
« Serviette de table ouvre-toi. »
Sur le chemin, il n'eut pas le temps de prononcer cette
phrase, que la serviette se déplia.
Dessus se trouvait beaucoup de nourriture.
Martin s'arrêta une deuxième fois à l'auberge et
recommanda au patron de ne jamais prononcer, devant
cette serviette de table, ces mots :
« Serviette de table ouvre-toi. »
Le patron prit la serviette de l'enfant et lui en donna une
autre ressemblante.

Arrivé à la maison, Martin annonça à sa mère, que la serviette de table était magique, mais quand il voulut lui montrer, il ne se passa rien. Sa mère se fâcha contre lui et une fois de plus, Martin retourna chez l'ogre.

Après deux années, Martin avait de nouveau la nostalgie de sa maison.

L'ogre lui donna un bâton et il lui recommanda de ne jamais dire : « Bâton lève-toi ! » et « Bâton couche-toi ! »

Martin comprit que c'était un don spécial. Il prit le bâton, remercia l'ogre et repartit.

Arrivé chez le patron de l'auberge, il lui demanda de garder le bâton, sans jamais prononcer les paroles magiques : « Bâton lève-toi ! »

Curieux, le patron s'éloigna et voulut essayer le don du bâton, mais il n'eut pas le temps de dire une parole magique, que le bâton se mit à le frapper.

Celui-ci, alors, courut chez Martin et le supplia d'arrêter le bâton.

- Oui, mais à condition que tu me redonnes l'âne et la serviette de table, dit Martin.

- Le patron accepta et Martin dit : « Bâton couche-toi ! »

Martin rentra à la maison avec tout ce que lui avait
donné l'ogre.
Sa mère n'arrivait pas à croire qu'elle avait un fils aussi
formidable.
Depuis ce jour, Martin et sa maman vécurent heureux.

TABLE DES MATIERES